M000206698

Cocina Mexicana Vegetariana

Cocina Mexicana Vegetariana

Mary Jerade

Grupo Editorial Tomo, S. A. de C. V.
Nicolás San Juan 1043
03100 México, D. F.

1a. edición, enero 1999.
2a. edición, octubre 2000.
3a. edición, junio 2002.

© Cocina Vegetariana Mexicana.
Autor: Mary Jerade.

© 2002, Grupo Editorial Tomo, S. A. de C. V.
Nicolás San Juan 1043, Col. Del Valle
03100 México, D. F.
Tels. 5575-6615, 5575-8701 y 5575-0186
Fax. 5575-6695
http://www.grupotomo.com.mx
ISBN: 970-666-136-0
Miembro de la Cámara Nacional
de la Industria Editorial No. 2961

Diseño de Portada: Emigdio Guevara
Supervisor de Producción: Leonardo Figueroa

Derechos reservados conforme a la ley.
Las características tipográficas y de edición de esta obra
son propiedad del editor. Se prohibe su reproducción
parcial o total sin autorización por escrito de la editorial.

Impreso en México - *Printed in Mexico*

Dedico este libro a mi maestro, el Dr. Swami Pranavananda Saraswati, por sus 42 años de su misión mundial.

Índice

Índice

Prefacio

En este año 1996 voy a cumplir 30 años de haber ingresado al Centro Yoga Universal Ciudad de México, Asociación Civil; me inicié como discípula de yoga con el Dr. Swami Pranavananda Saraswati en el mes de diciembre de 1966.

Este libro de cocina mexicana vegetariana se realizó a petición de la demanda que tiene dicha cocina, ya que existe una variedad infinita de ensaladas, salsas, guisos, postres, etcétera.

A través de la historia encontramos que todos los pueblos han buscado la salud que es el tesoro más preciado, pues con una alimentación vegetariana equilibrada se disfruta de ella.

Se tiene una buena salud a través de una serie de factores que son: una alimentación balanceada, ejercicio diario y tener una actitud positiva hacia la vida.

Agradezco el apoyo que recibí de mis nietas Yemi y Miriam, así como la colaboración que me brindó mi amiga la cosmetóloga Imelda Garcés Guevara, y a la profesora Patricia López Ramos por su interesante prólogo. Así

como también a la Editorial Tomo II, por su valiosa co-
operación en la publicación de este libro.

Mary Jerade

Prólogo

En nuestro mundo contemporáneo, hay miles de seres humanos en diferentes países que carecen de adecuada nutrición por falta de conocimiento o por problemas económicos. Para lograr el progreso en cualquier campo de la vida humana, se requiere de una salud radiante, llena de vigor, vitalidad, alegría y armonía.

Según la interpretación de la Organización Mundial de la Salud, los seres humanos de nuestro planeta deben gozar plenamente de salud física, mental y social. Los planificadores de los Programas de Salud, entre otras cosas, tratan de eliminar este problema de mala nutrición en la población de nuestro país, México; necesitamos divulgación de dieta balanceada y alimentación integrada.

Para promover esta noble tarea para bienestar de la humanidad, el mundialmente famoso filósofo, médico y humanista Dr. Swami Pranavananda Saraswati, originario de la India, ha dedicado 42 años de su labor mundial humanitaria al servicio de los habitantes de nuestro orbe. Su fructífera obra en México comenzó hace 39 años. La autora, Sra. Mary Jerade es discípula del Dr. Swami Pranavananda y asiste a diferentes programas de sus organizaciones en la Ciudad de México.

La autora ha escrito hasta la fecha cinco libros sobre cocina vegetariana y está dedicada a divulgar los conocimientos de esta materia desde hace 30 años. Ella es Presidente Honorario del Comité de Alimentación Integral, es una mujer entusiasta y dinámica, que sirve a sus semejantes sin esperar ninguna recompensa.

Su nuevo libro intitulado "Cocina Mexicana Vegetariana", detalla cómo preparar sabrosos platos de comida balanceada y alimentación integral, además, cómo nutrirse bien en base a la cocina de fácil preparación.

Mis felicitaciones a la autora de este nuevo libro. Estoy segura que tendrá mucho éxito como sus publicaciones anteriores.

México, D.F., marzo de 1996

Profa. Patricia López Ramos
Presidente de la Institución para el
Progreso de la Mujer.

Importancia del amaranto

Antecedentes históricos.- En los tiempos prehispánicos la semilla o grano de amaranto fue uno de los alimentos básicos de América, casi tan importante en la alimentación como el maíz y el frijol.

Los agricultores aztecas e incas utilizaban miles de hectáreas para cultivar el amaranto. Cerca de 20,000 toneladas de este producto se enviaban hacia Tenochtitlan (hoy Ciudad de México) como tributo al emperador Moctezuma.

La semilla era conocida por los antiguos mexicanos ccmo "huautli" que en náhuatl significa huevo de pescado, la cual se llamó así por la semejanza de la semilla con éste último.

Debido al color "sangre" con el que está matizada la planta de amaranto, ésta era considerada como una planta mística unida a la leyenda y al rito.

El calendario religioso azteca señalaba varios días en los que las mujeres molían la semilla y la mezclaban con miel y sangre humana, la pasta resultante la moldeaban con forma de pájaros, serpientes, montañas y dioses. Estas figuras servían de alimento durante las ceremonias de los grandes templos o de pequeños grupos familiares.

En la zona central del país las semillas de amaranto se consumían en forma de atole y tamales.

En Arizona, los indios Hopi, elaboraban unos ídolos de amaranto que utilizaban como amuletos.

Los tarascos festejaban a la diosa de la tierra confeccionando panes de amaranto que ellos denominaban "tuycen".

Algunos grupos indígenas sembraban los amarantos como fuente de pigmento para colorear las "hostias" ceremoniales que personificaban a sus dioses y que distribuían a las personas a manera de comunión durante sus danzas tradicionales.

El amaranto también se relacionó con rituales paganos y sacrificios humanos. Durante el principal festival del año de los aztecas dedicado a Huitzilopochtli (dios de la guerra), el centro de la ceremonia consistía en un enorme ídolo del dios confeccionado con masa de semilla de amaranto, miel y sangre humana, que se hacía pasear por la ciudad y los suburbios en una tarima, para ser finalmente despedazado por la gente.

La parte vegetativa de la planta también tenía un lugar importante en la alimentación, ya que con las hojas se elaboraban tamales denominados "huauhquiltamalli" para ofrecerlos al dios del fuego.

El nombre de "alegría" se adjudicó en el siglo XVI al dulce que se fabrica con la semilla "reventada" y luego, por extensión a la planta entera. A Fray Martín de Valencia se le ocurrió (1473 - 1543) mezclarlo con miel de abeja. Cuentan los relatos de la época que uno por uno, los indígenas fueron probando el dulce resultante y les pareció tan sabroso que empezaron a bailar y cantar de "alegría". De ahí -dice la leyenda- surgió el nombre de este dulce.

De lo anterior se desprende que el "huauhtli" era la planta ceremonial más importante de los aztecas y otros pueblos de México. Sin embargo, con la llegada de los españoles, los misioneros se encargaron de abolir las ceremonias religiosas, por ende, limitar el cultivo de la semilla.

A los atoles, licuados, harinas de maíz o de trigo, galletas, pasteles, etcétera se pueden enriquecer agregándole el amaranto.

Alimentación básica nutricional

Existen cuatro elementos básicos para una alimentación equilibrada y son:

1. Proteínas
2. Grasas
3. Hidratos de carbono
4. Minerales y vitaminas

De estos cuatro grupos obtenemos los numerosos nutrientes que necesitamos para reparar los tejidos, necesitamos cantidades moderadas de proteínas que sirven como fuentes de energía y evitan un exceso de acidez y de alcalinos bases en el cuerpo, además que son las proteínas material básico para síntesis de enzimas de anticuerpos y de ciertas hormonas.

Grasas.- Proporcionan gran cantidad de energía ácido linoleico, que mantiene la piel en buen estado de salud y normaliza el crecimiento adecuado de los niños. Dado que las grasas se absorben lentamente, alejan la sensación de hambre durante un período de más de tres horas.

Carbohidratos.- Son fuentes importantes de energía que son necesarias para consumir las grasas y las fibras, que son carbohidratos indigeribles; ayudan al cuerpo a eliminar las heces fibras como: salvado, apio, betabel.

Minerales y vitaminas.- Los Minerales en conjunto ayudan a mantener los niveles normales de fluídos corporales y favorecen el adecuado equilibrio entre ácidos y alcalinos.

Vitaminas.- Cada una de ellas desempeña un papel específico y necesario para el organismo. Comer sanamente para vivir sanamente. Las personas que ingieren la cantidad de nutrientes necesaria, pero sin comer demasiado, han dado ya un paso muy importante hacia la consecución de una buena salud, de una sensación de bienestar.

En cambio las personas con deficiencias nutricionales mostraron diversos problemas de acuerdo al nutriente que falte, como: desnutrición en proteínas infantiles, la deficiencia de calorías que produce crecimiento deficiente del niño, escaso tono muscular y baja capacidad de atención. Con exceso de azúcares problemas de caries, obesidad, etcétera. El consumo de proteína en un hombre es de 62 gramos y de 53 gramos en una mujer; nosotros como vegetarianos debemos saber que la unión de un cereal con una leguminosa da un 70% de proteína necesaria que una persona necesita diariamente.

La primera exigencia corporal es la energía, las proteínas se convierten en energía; cuando no se consume la energía suficiente eso significa que la proteína pierde todo su valor proteico.

Conclusión: Para una dieta yoga el consumo de proteínas es de suma importancia pero ésta siempre de alimentos que no contengan carnes. La dieta yoga define que en la alimentación principia el desarrollo del bienestar del individuo, siempre y cuando la sangre tenga una proporción de 70 u 80% de sangre alcalina y 30 ó 20% de sangre ácida.

Los alimentos que producen sangre alcalina son todas las frutas, verduras, yogurt, frutas secas, nueces, almendras, leguminosas.

Finalmente la actitud mental de las personas que preparan los alimentos debe ser positiva para que la asimilación de éstos sea adecuada.

Porque lo que comemos es energía.

Dieta para obtener una salud perfecta y una mente sana

La dieta es la fuente de la vitalidad, vivimos porque tomamos alimentos. El alimento digerido nutre el cuerpo y por ello el cuerpo se desarrolla. Los errores en la alimentación causan enfermedades corporales y mentales, por lo cual es importante que todos tengamos suficientes conocimientos sobre la dieta.

El ser humano está acostumbrado a incluir en sus comidas carne y pescado y sin embargo él no es totalmente carnívoro, más bien está emparentado, por naturaleza, con los animales de tipo granívoro.

El exceso de carnes en la alimentación aumenta la tendencia a la inquina y a la riña. Esta verdad fundamental dada en este esquema dietético es entendida y aceptada ahora por los científicos occidentales dedicados al estudio de los valores alimenticios. El profesor G.S. Fowel prominente investigador de estos valores dice: "la carne embota las influencias morales, propendiendo a la pasión y al desequilibrio temperamental, mientras la perfección humana requiere lo contrario". El doctor Robert

Itport, otro ilustre investigador de estos valores alimenticios dice: "yo guardo una dieta no carnívora como un primer paso indispensable para el desarrollo de una vida más sana y plena, en todos los planos humanos; físico, intelectual y espiritual". Junto con estos principios dietéticos, recuerde por favor practicar las siguientes sugestiones, si es que desea verdaderamente disfrutar de una completa salud física y mental.

1.- No coma con exceso recargando su estómago; mastique y salive adecuadamente, en especial los almidones, que deben convertirse en glucosa y dextrina mientras son ensalivados. No tome alimentos ni muy calientes ni muy fríos; ambos son dañinos para el aparato digestivo.

2.- Ayude: para dar descanso al aparato digestivo y para la purificación interna, debe observarse ocasionalmente el ayuno. Cuando hay desarreglos emocionales y pesar, no debemos comer, porque las secreciones no son correctamente asimiladas por el organismo. Durante el ayuno el cuerpo oxida y quema todas las toxinas por lo menos una vez al mes.

3.- El proceso de cocinar, secar, preservar y enlatar destruye las vitaminas y otros nutrientes contenidos en las substancias alimenticias.

4.- No fumar. No es útil a una vida sana el uso de tabacos o narcóticos, ni forma alguna de fumar. Cada cigarrillo neutraliza alrededor de 23 miligramos de vitamina C en el cuerpo. En muchas enfermedades del corazón y en algunos desórdenes digestivos los médicos recomiendan suspender totalmente el uso del cigarrillo. Tiene además un efecto dañino sobre los pulmones y demás partes del sistema respiratorio. No malgaste su dinero ni pierda su salud por fumar.

5.- Evite las bebidas alcohólicas. Todo licor o bebida espirituosa constituye una de las más deplorables decadencias del hombre. Por medio de estas bebidas es posible escapar al aburrimiento y a las ansiedades de la vida por algún tiempo, pero este estímulo es temporal y deja en cambio un efecto dañino sobre las glándulas y sobre el sistema nervioso. Para conservar a su familia social y económicamente feliz, usted debe mantenerse lejos de la bebida.

No se puede ser esclavo de los hábitos, sino que se ha de ser dueño de sí mismo. Aumente su poder de voluntad, aumente su confianza y determinación, cambiando o reformando su modo de comer y de vivir, por medio de las enseñanzas yoga y podrá disfrutar de una perfecta salud, de una mente pura para servicio de la humanidad y de Dios.

Tomado del libro Swami Pranavananda y su misión mundial, Editores Mexicanos Unidos, S.A.

¿Cómo se debe comer?

Los productos técnicamente elaborados se combinan con productos químicos, como son colorantes, conservadores, saborizantes artificiales, etcétera, con el fin de que gusten y duren. Empero, los productos químicos corrompen los tejidos y las células produciendo una fuerte intoxicación en todo el organismo. Por eso la mujer, por tradición encargada de la preparación de los alimentos, a través de los productos que la naturaleza le proporciona, y con el amor de su corazón será la guía en el crecimiento y desarrollo de sus hijos, evitando ofrecerles carnes, vinos, laterías y refrescos que producen toxinas y fermentos.

El verdadero valor alimenticio descansa en las frutas, las verduras y los granos que son de fácil digestión y no producen putrefacción ni fermentación en el organismo. Hay que pensar en el bien y alcanzar la madurez necesaria para poder establecer definitivamente una orientación alimenticia acertada al género humano, abandonando el alimento corruptor del cuerpo y del alma.

El cuerpo humano es una unidad y de una buena alimentación dependerá su buen funcionamiento.

Comida o alimentación

Es comida todo lo que puede ingerirse, masticarse y paladear por algún sabor atractivo o porque puede satisfacer nuestro antojo o capricho.

Es alimento todo lo que nos dará salud y energía para seguir funcionando en buenas condiciones. Se puede ingerir gran cantidad de comida, pero poco alimento nutritivo.

Si se desea tener buena salud, se debe comer alimentos vivos, porque los alimentos muertos propician enfermedades. Alimentos vivos son: frutas, verduras y semillas; todos los alimentos procesados e industrializados para su conservación se convierten en alimentos muertos, está comprobado que la carne, por ejemplo, es un alimento que contiene desechos tóxicos.

Las frutas frescas, verduras y semillas son de fácil digestión y constituyen un alimento ideal, portador de las mejores vitaminas que el cuerpo necesita.

Los cereales como el trigo, maíz, arroz, avena, centeno, gérmen de trigo y salvado son de fácil digestión por la fibra que contienen.

Los granos como lentejas, frijoles, garbanzo, etcétera, son necesarios para el organismo como fuente viva de proteínas. Las vitaminas existen en mayor cantidad en los alimentos naturales, por tanto, éstos son vitales para el hombre. La vitamina D (antirraquítica), actúa cuando es irradiada por el Sol.

Aprendiendo a comer

Para obtener el máximo provecho de los alimentos, no basta con comer simplemente lo que nos apetece, sino comer guiándonos por nuestra cabeza, no por nuestro estómago. Así obtendremos una dieta adecuada con todos los nutrientes que nuestro cuerpo necesita, y sólo así podremos asegurarnos una buena salud.

Cuando, qué, cómo, dónde y cuánto comer

¿Cuando comer? Se debe comer sólo cuando se tiene hambre. Muchas personas comen por antojo, o porque es la hora de la comida, aunque no sientan hambre, pero si observamos a los animales, veremos que ellos nunca comen si no sienten la necesidad.

¿Qué comer? Se debe elegir el alimento sano, por ejemplo frutas, verduras, semillas, legumbres y granos, que son precisamente los que aportan salud al organismo.

¿Cómo comer? Ensalivando, masticando y deglutiendo completamente los alimentos, sin olvidar que el estómago no tiene dientes y que la primera digestión se hace en la boca. Debemos comer tranquilos, libres de preocupaciones, sin prisa.

¿Dónde comer? Lo más conveniente es hacerlo al aire libre, en un lugar arbolado, para estar cerca de la naturaleza. Procuremos aprovechar la ocasión que nos brindan los días festivos, organizando excursiones.

¿Cuánto comer? La cantidad de alimentos que debemos comer es aquella necesaria para saciar el hambre natural. Comer más es innecesario; por eso debemos comer para vivir y no vivir para comer.

Salsas

Salsa de chile de árbol

- ☐ 200 gramos de chile de árbol
- ☐ 3 dientes de ajo
- ☐ Aceite para freír
- ☐ Sal al gusto
- ☐ Agua, la necesaria

Se fríen los chiles y se licuan con agua y ajo, se sofríe en el aceite y se le pone la sal al sazonar.

Salsa pasilla

- ☐ 100 gramos de chile pasilla
- ☐ Un pedazo de cebolla
- ☐ 2 dientes de ajo
- ☐ Aceite para freír
- ☐ Sal al gusto

Se remojan los chiles en agua caliente, se desvenan y se licuan con la cebolla, ajo y sal; se fríe en el aceite.

Salsa de chile morita

- ☐ 200 gramos de chile morita seco
- ☐ ½ kilo de tomate verde
- ☐ 2 dientes de ajo
- ☐ Un pedazo de cebolla
- ☐ Sal al gusto

Se asan los chiles y tomates en un comal; ya tostados se muelen en molcajete con ajo, sal y cebolla.

Salsa de chile cuaresmeño

- ☐ 200 gramos de chile cuaresmeño
- ☐ Un trozo de cebolla
- ☐ 2 dientes de ajo
- ☐ Sal al gusto

Se asan los chiles, se desvenan y se licuan con ajo, cebolla y sal.

Salsa de pasilla con cilantro

- ☐ 6 chiles pasilla
- ☐ Un trozo de cebolla picada finamente
- ☐ 2 dientes de ajo
- ☐ Un manojo chico de cilantro picado
- ☐ Sal al gusto

Se remojan en agua caliente los chiles, se desvenan, se licuan con ajo y sal, se sirven con la cebolla y cilantro.

Salsa de chile guajillo

- ☐ 200 gramos de chile guajillo
- ☐ 3 dientes de ajo
- ☐ 1 cebolla chica

☐ Sal al gusto
☐ Aceite, el necesario

Se desvenan los chiles y se remojan con agua caliente, se licuan junto con los demás ingredientes y se fríen en el aceite.

Salsa de chile serrano

☐ 10 tomates verdes
☐ 6 chiles serranos
☐ Un trozo de cebolla
☐ Un manojo chico de cilantro picado
☐ 2 dientes de ajo
☐ Un aguacate picado
☐ Sal al gusto

Se muelen en la licuadora los ingredientes a excepción del aguacate, no muy molido; se sirve en una salsera y se adorna con el aguacate y cilantro.

Salsa de chile piquín

☐ Una cucharada de chile piquín
☐ 2 jitomates chicos asados
☐ 2 dientes de ajo
☐ Sal al gusto

Se tuestan los chiles y se licuan con los demás ingredientes.

Salsa de jitomate

- ☐ 2 jitomates asados
- ☐ 6 chiles serranos asados
- ☐ Un diente de ajo
- ☐ Un ramito de cilantro
- ☐ Sal al gusto

Se licuan todos los ingredientes, se sirve en una salsera y se adorna con cilantro picado.

Salsa de jitomate con queso

- ☐ 2 jitomates asados
- ☐ 3 chiles serranos asados
- ☐ Un trozo de cebolla
- ☐ Un diente de ajo
- ☐ Un pedazo de queso panela o fresco
- ☐ Una cucharada de aceite
- ☐ Sal al gusto

Se licuan los jitomates, chiles, cebolla, ajo y sal, se fríe en el aceite caliente; cuando empieza a hervir se le agrega el queso en rebanadas.

Chiles en vinagre

- ☐ ½ kilo de chile cuaresmeño
- ☐ Un kilo de zanahoria
- ☐ 2 cebollas en trozos

- [ ] 4 dientes de ajo
- [ ] ½ coliflor chica en trozos
- [ ] ½ litro de vinagre
- [ ] 5 pimientas enteras, hierbas de olor
- [ ] Aceite y sal al gusto

La zanahoria se pela y se corta sesgada, los chiles se parten en dos. Los chiles, zanahoria, cebolla, ajo, coliflor y sal se sofríen en el aceite, se le agrega la pimienta, hierbas de olor y vinagre de dos hervores.

Salsa de tomate con orégano

- [ ] 6 chiles serranos cocidos
- [ ] ¼ de tomate verde cocido
- [ ] Un manojo chico de cilantro
- [ ] Un trozo de cebolla
- [ ] Un diente de ajo
- [ ] Una cucharadita de azúcar
- [ ] Una cucharadita de orégano
- [ ] 2 ramitas de canela
- [ ] Sal al gusto
- [ ] Aceite para freír

Se licuan los chiles, tomates, cilantro, cebolla, ajo, orégano y azúcar; se fríe en el aceite, cuando empieza a hervir se le agrega la sal y la canela.

Pico de gallo

- ☐ 2 jitomates picados
- ☐ Una rama de cilantro picado
- ☐ Una cebolla picada
- ☐ 2 chiles cuaresmeños picados
- ☐ Un aguacate picado
- ☐ Sal al gusto

Se incorporan todos los ingredientes y se acompañan con tortillas calientes.

Salsa macho

- ☐ 10 chiles serranos fritos
- ☐ Ajo, cebolla y sal

Se muelen en el molcajete a que queden martajados.

Chiles con limón

- ☐ 200 gramos de chiles cuaresmeños rebanados
- ☐ Un limón (el jugo)
- ☐ Sal al gusto
- ☐ Un poco de agua

Se incorporan los ingredientes y se dejan macerar una hora, aproximadamente.

Chiles toreados

- ☐ 10 chiles cuaresmeños
- ☐ Una cebolla rebanada
- ☐ 3 limones (el jugo)
- ☐ Salsa de soya
- ☐ Aceite, el necesario

Se sofríe la cebolla, los chiles a dorar, se le agrega el jugo de limón y la salsa de soya, se retira del fuego.

Guacamole

- ☐ 3 aguacates picados
- ☐ 3 chiles serranos picados
- ☐ 2 jitomates picados
- ☐ Una cebolla picada
- ☐ Un ramito de cilantro picado
- ☐ Una cucharadita de aceite de oliva
- ☐ Sal al gusto

Se revuelven todos los ingredientes.

Aderezo de chile pasilla y ajonjolí

- ☐ 3 chiles pasilla tostados ligeramente, desvenados y desmoronados.
- ☐ Una cucharadita de ajonjolí tostado
- ☐ 2 dientes de ajo molidos
- ☐ Una cucharadita de mostaza

- ☐ Una cucharadita de vinagre
- ☐ Una cucharadita de aceite de oliva
- ☐ Una cucharada de salsa de soya
- ☐ Pimienta y sal, al gusto

Se revuelven todos los ingredientes.

Aderezo a la mostaza

- ☐ Una taza de aceite de oliva o vegetal
- ☐ ¼ taza de vinagre
- ☐ ¼ taza de jugo de limón
- ☐ ½ cucharada de mostaza
- ☐ Sal al gusto

Se incorporan todos los ingredientes arriba mencionados.

Aderezo para ensalada

- ☐ Una taza de aceite vegetal
- ☐ ¼ taza de jugo de limón
- ☐ ¼ taza de vinagre blanco
- ☐ Una cucharadita de azúcar
- ☐ Una cucharadita de sal
- ☐ ½ cucharadita de mostaza
- ☐ ½ cucharadita de orégano
- ☐ 2 dientes de ajo molidos

Se revuelven todos los ingredientes.

Aderezo a la mayonesa

- ☐ 2 dientes de ajo molidos
- ☐ 1 ½ limón (jugo)
- ☐ ¼ taza de vinagre
- ☐ ¼ taza de aceite de oliva
- ☐ ¼ taza de aceite natural
- ☐ Salsa de soya al gusto
- ☐ Una cucharada de mostaza
- ☐ Una cucharada de mayonesa
- ☐ Una pizca de pimienta negra

Se revuelven todos los ingredientes en la licuadora.

Aderezo vinagreta

- ☐ 2 dientes de ajo
- ☐ ½ taza de aceite vegetal
- ☐ ¼ taza de vinagre
- ☐ Un limón grande (jugo)
- ☐ Un ramito de perejil picado
- ☐ Una cucharada de salsa de soya
- ☐ Una cucharadita de mostaza
- ☐ ¼ cucharadita de pimienta negra
- ☐ Sal al gusto

Todos los ingredientes arriba mencionados se ponen en la licuadora y se dejan batiendo por espacio de 2 a 3 minutos.

Ensaladas

Ensalada de nopales con queso

☐   10 nopales chicos
☐   4 jitomates chicos
☐   Una cebolla chica rebanada
☐   Un manojo de cilantro picado
☐   Un trozo de queso fresco rallado
☐   ½ cucharadita de orégano
☐   Sal y aceite, al gusto

Se lavan los nopales, se secan y se pican finamente, se añade el resto de los ingredientes y se incorpora bien; se sirve al instante.

Ensalada de col

☐   ¼ de trozo de col picada
☐   ¼ kg. de chícharos cocidos
☐   ¼ taza de mayonesa
☐   Un limón (jugo)
☐   Sal y pimienta, al gusto

Se revuelve todo muy bien y se sirve.

Ensalada de lechuga con hongos

☐   Una lechuga lavada y picada
☐   100 gramos de hongos crudos picados
☐   2 dientes de ajo
☐   Una cucharada de mostaza

☐   2 cucharadas de salsa de soya

Se incorporan todos los ingredientes y se dejan macerar una hora.

Ensalada de lechuga con jitomate

☐   Una lechuga lavada y picada
☐   2 jitomates picados,
☐   Un pepino pelado y picado
☐   2 ramas de apio sin flor
☐   Un limón (jugo)
☐   Una cucharada de aceite de oliva
☐   Sal al gusto

Se incorporan todos los ingredientes

Ensalada de espinacas

☐   Un manojo chico de espinacas frescas lavadas
☐   50 gramos de nuez picada
☐   Un pedazo de cebolla, picada
☐   2 cucharadas de salsa de soya
☐   2 limones (jugo)
☐   Pimienta, orégano y sal al gusto
☐   Una cucharada de aceite de oliva.

Se pica la hoja de la espinaca, se le agregan los demás
ingredientes se incorpora y se deja macerar una hora
aproximadamente.

Ensalada de betabel

- ☐ 3 betabeles pelados, lavados, cocidos y pica-dos
- ☐ 3 ramas de apio picado
- ☐ 2 limones (jugo)
- ☐ Un diente de ajo molido

Se revuelve todo muy bien y se le pone sal al gusto.

Ensalada de lechuga

- ☐ Una lechuga romanita lavada y deshojada en trozos
- ☐ 4 zanahorias grandes ralladas
- ☐ 2 jitomates picados
- ☐ 2 pepinos pelados y picados
- ☐ 2 limones (jugo)
- ☐ Una cucharada de aceite
- ☐ Sal al gusto

Se revuelve todo muy bien.

Ensalada de cebolla

- ☐ 2 cebollas grandes, fileteadas
- ☐ Un aguacate grande, picado
- ☐ 2 jitomates picados
- ☐ 2 limones (jugo)

☐ Una cucharada de aceite de oliva
☐ Sal al gusto

La cebolla se pone a macerar en el jugo de limón y aceite 3 horas aproximadamente; después se le agrega el aguacate, jitomate y sal, se incorpora muy bien. Es una ensalada muy fresca.

Ensalada de berros

☐ Un manojo de berros frescos lavados y picados
☐ Una cebolla mediana rebanada
☐ Un limón (jugo)
☐ Sal al gusto

Se revuelve todo muy bien

Ensalada de papa

☐ 2 papas cocidas y picadas
☐ Una cebolla picada
☐ Un manojo de cilantro picado
☐ Un limón (jugo)
☐ Sal y pimienta al gusto

Se revuelve todo muy bien y se sirve

Ensalada de jitomate

- [ ] 3 jitomates rebanados
- [ ] Una cebolla en rebanadas delgadas
- [ ] Un limón (jugo)
- [ ] Aceite, orégano, pimienta y sal al gusto

Se acomodan sobre una ensaladera una capa de jitomate, otra de cebolla y se rocían con el aderezo, así hasta terminar con todos los ingredientes; refrigere y sirva fría.

Ensalada de nopales

- [ ] 6 nopales frescos sin espinas, lavados y picados
- [ ] 2 jitomates chicos picados
- [ ] Una cebolla picada
- [ ] Un chile verde picado
- [ ] Un manojo chico de cilantro picado
- [ ] Una cucharada de aceite
- [ ] Sal al gusto

Los nopales se cuecen en su propio jugo con sal; cuando ya están secos, se revuelven los demás ingredientes y se puede adornar con aguacate rebanado.

Ensalada mixta

- ☐ 2 chayotes tiernos pelados y cortados
- ☐ 2 calabazas chicas tiernas picadas
- ☐ 2 pepinos pelados y rebanados
- ☐ 2 zanahorias rebanadas finas
- ☐ Una lechuga romana lavada y picada
- ☐ Jugo de limón
- ☐ Aceite y sal

Se revuelven todos los ingredientes y se sirve enseguida.

Ensalada de zanahoria y betabel

- ☐ 2 betabeles tiernos rallados
- ☐ 2 zanahorias ralladas
- ☐ Un limón (jugo)
- ☐ Sal, la necesaria

Se incorporan los ingredientes

Ensalada de apio

- ☐ Una taza de apio picado
- ☐ Una taza de zanahoria picada
- ☐ Un pepino finamente picado
- ☐ Un jitomate picado
- ☐ Jugo de limón
- ☐ Aceite y sal al gusto

Revuelva todo y sirva.

Ensalada de espinaca y nopales con chile guajillo

- ☐ 5 chiles guajillos en trozos y fritos en aceite a dorar
- ☐ 3 tazas de nopales cocidos y partidos en cuadritos
- ☐ ½ kg. de espinaca fresca partida en trozos
- ☐ Un manojito de berro en ramitas
- ☐ Una cebolla chica en rebanadas
- ☐ Una taza de rábanos rebanados
- ☐ Una taza de queso panela partido en cuadritos
- ☐ Un aguacate en rebanadas

Aderezo:

- ☐ ¼ taza de aceite de olivo
- ☐ 3 cucharadas de vinagre
- ☐ Aceite donde se fríen los chiles
- ☐ Un diente de ajo molido
- ☐ Una cucharada de salsa de soya
- ☐ Pimienta negra y sal al gusto

Hágase el aderezo y mézclese con el resto de los ingredientes.

Sopas y pastas

Sopa de flor de calabaza

- ☐ ½ kilo de flor de calabaza, cortada y lavada
- ☐ 3 calabazas picadas, frescas
- ☐ 2 elotes tiernos desgranados
- ☐ Un pedazo pequeño de cebolla
- ☐ Un diente de ajo molido
- ☐ Sal al gusto

Se sofríe todo muy bien, se le agrega agua caliente a cocerse.

Sopa de poro con papa

- ☐ Un poro grande rebanado
- ☐ 4 papas partidas
- ☐ 2 jitomates
- ☐ Un diente de ajo
- ☐ Un pedazo pequeño de cebolla
- ☐ Una cucharada de aceite
- ☐ Sal al gusto

En una sartén se sofríe un poco el poro y la papa, se le agrega el jitomate que estará licuado con ajo, cebolla y sal; se tapa a que se cueza.

Sopa de fideo

- ☐ 250 gramos de fideo frito
- ☐ 2 jitomates medianos

- ☐ Un pedazo de cebolla
- ☐ Un diente de ajo
- ☐ Una taza de aceite
- ☐ 2 tazas de agua
- ☐ Queso rallado, al gusto
- ☐ Sal

En el aceite se sofríe el jitomate, cebolla, ajo y sal licuados, agregue el agua caliente, cuando está hirviendo se agrega el fideo a cocer. Al servir se espolvorea con el queso.

Sopa de calabacitas

- ☐ ½ kilo de calabacitas tiernas lavadas y picadas
- ☐ 2 chiles poblanos partidos finamente
- ☐ 2 elotes tiernos desgranados
- ☐ 2 dientes de ajo picados
- ☐ Una cebolla chica picada
- ☐ Un manojo chico de cilantro, picado
- ☐ 2 cucharadas de aceite
- ☐ Sal al gusto

Acitrone el ajo, cebolla y chile en el aceite, agregue la calabaza, el elote y sal a sofreír, agregue agua caliente hasta cocerse. Antes de servir se le pone el cilantro.

Sopa de cebolla

☐ 2 cebollas grandes finamente rebanadas
☐ Queso de Oaxaca al gusto
☐ Aceite, el necesario
☐ Sal al gusto

Se sofríe la cebolla en el aceite, se le agrega agua caliente y sal hasta que se cueza; vacíe la sopa en un refractario, cúbralo con el queso y se mete al horno caliente, a gratinar.

Sopa de habas

☐ Una taza de haba seca lavada y cocida
☐ Un jitomate picado
☐ Una cebolla picada
☐ Un diente de ajo picado
☐ Queso fresco, al gusto, en rebanadas
☐ 2 cucharadas de aceite
☐ Sal al gusto

En el aceite se sofríe el jitomate, cebolla y ajo a sazonar, se le agrega el haba en su caldo, sal y queso hasta que se impregne.

Sopa de pasta

☐ 250 gramos de pasta
☐ Un manojo de espinacas lavadas y picadas

- ☐ 2 jitomates medianos
- ☐ Un pedazo de cebolla
- ☐ Un diente de ajo
- ☐ Aceite, el necesario
- ☐ Sal al gusto

Se dora la pasta en el aceite, se le agrega la espinaca, se licua el jitomate, cebolla, ajo y sal, se le adiciona a la pasta con agua caliente a cocerse; se sirve y se le añade queso rallado al gusto.

Arroz mexicano

- ☐ Una taza de arroz remojado
- ☐ 2 jitomates
- ☐ Un pedazo de cebolla
- ☐ Un diente de ajo
- ☐ Una rama de perejil picado
- ☐ Aceite el necesario
- ☐ Sal al gusto

Se licua el jitomate, cebolla, ajo y sal. Se dora el arroz en el aceite, se le agrega lo licuado a sazonar, agua caliente y el perejil, a cocerse.

Arroz poblano

- ☐ Una taza de arroz remojado
- ☐ 2 jitomates medianos
- ☐ 2 elotes tiernos desgranados
- ☐ 2 chiles poblanos en rajas

☐ Un pedazo de cebolla
☐ Un diente de ajo
☐ Aceite el necesario
☐ Sal, al gusto

Se licua el jitomate, cebolla, ajo y sal. Se dora el arroz, se le agrega los granos de elote y las rajas de chile, lo licuado y agua caliente a cocerse.

Arroz con verduras

☐ Una taza de arroz remojado
☐ 2 zanahorias picadas
☐ ½ taza de chícharos
☐ 2 calabacitas picadas
☐ 2 papas chicas, peladas y partidas en trozos
☐ Una cebolla chica
☐ Un diente de ajo
☐ 2 jitomates
☐ Aceite el necesario
☐ Sal, al gusto

En el aceite se dora el arroz, se agrega la verdura y el jitomate licuado con el ajo, cebolla y sal. Se sofríe un poco y se le agrega agua caliente a cocerse; se sirve caliente.

Sopa de nopal

☐ 6-8 nopales en rajas cocidos
☐ Una cebolla rebanada

- [ ] 2 dientes de ajo, picados
- [ ] 3 chiles pasilla
- [ ] 2 ramitas de epazote
- [ ] 2 jitomates asados y picados
- [ ] Una cucharada de harina
- [ ] Sal al gusto

Se fríe el ajo y la cebolla en un poco de aceite, así mismo se fríen los chiles, se agregan los nopales, el jitomate, la cucharada de harina disuelta en un poco de agua, el epazote y por último el agua. Se deja hervir hasta que espesa un poco y se sazona con sal al gusto.

Sopa de cebolla con queso

- [ ] 4 cebollas grandes rebanadas
- [ ] 100 gramos de mantequilla
- [ ] 2-3 vasos de leche natural
- [ ] 100 gramos de queso fresco rallado
- [ ] 100 gramos de queso Oaxaca deshebrado
- [ ] Sal al gusto

Se acitrona la cebolla en la mantequilla, después se le agrega la leche y sal, cuando ya está hirviendo se le agrega la mitad de los quesos. Se deja hervir a lumbre baja hasta que esté cocida la cebolla, no debe quedar ni muy aguada ni muy espesa. Al servirse en cada plato se le agrega el resto de los quesos.

Sopa de tortilla

☐ 2-3 jitomates asados
☐ 2-3 chiles guajillos fritos
☐ Un diente de ajo
☐ Un pedazo de cebolla
☐ 20 tortillas cortadas en tiras y doradas
☐ Queso al gusto
☐ Una ramita de epazote fresco
☐ Crema natural al gusto

El jitomate, chiles, cebolla y ajo se muelen en la licuadora, se fríe este licuado en el aceite, se sazona un poco, se le agrega un poco de agua y sal a sazonar. Al servirse se pone en cada plato un poco de tortilla dorada en aceite, con el queso y el caldillo de jitomate y si se desea un poco de crema.

Sopa de hongos

☐ ½ kilo de hongos frescos lavados y picados
☐ 3 jitomates asados
☐ 4 chiles cascabel fritos
☐ Un diente de ajo
☐ Un pedazo de cebolla
☐ Unas ramas de epazote
☐ Sal al gusto
☐ Aceite, el necesario

Se muelen los jitomates con el ajo y cebolla. Se fríen los chiles junto con los hongos, se agrega el jitomate molido, el epazote y sal, se cuece a fuego lento hasta que estén suaves los hongos.

Sopa de hongos con rajas

- ☐ ½ kilo de hongos lavados y picados
- ☐ ½ cebolla rebanada
- ☐ 4 chiles poblanos asados y partidos en rajas
- ☐ 2 cucharadas de harina
- ☐ Una ramita de epazote
- ☐ Sal al gusto
- ☐ Aceite, el necesario

La cebolla se fríe en el aceite, se agrega la harina espolvoreada sobre la cebolla, sin dejar de moverse a que tome un color oro, se añade el chile poblano, los hongos, la rama de epazote y sal.

Sopa de frijol

- ☐ 2 tazas de frijol negro cocido y molido en la licuadora con un poco de su caldo
- ☐ 2 jitomates asados
- ☐ Un diente de ajo
- ☐ Un pedazo de cebolla
- ☐ 2 chiles chipotles secos asados y cocidos
- ☐ Un manojo de cilantro picado
- ☐ 4 tortillas cortas en tiras y fritas

Se licuan los jitomates, cebolla, ajo, chiles y sal. Se fríe esta salsa a que sazone, se agregan los frijoles molidos a sazonar. Se acompaña con el cilantro picado y las tiras de tortilla frita.

Sopa de lenteja

- ☐ Una taza de lenteja lavada y cocida
- ☐ 2 zanahorias cocidas y picadas
- ☐ 2 calabacitas cocidas y picadas
- ☐ 2 jitomates
- ☐ Un pedazo de cebolla
- ☐ Un diente de ajo
- ☐ Aceite, el necesario
- ☐ Sal al gusto

Se licua la cebolla, jitomate, ajo y sal. Esta salsa se fríe en el aceite a sazonar, se le agrega la lenteja y verduras; se deja sazonar un rato.

Sopa juliana

- ☐ 2 zanahorias picadas
- ☐ 2 calabacitas picadas
- ☐ 4 ramas de apio picado
- ☐ Un manojo de espinacas picadas
- ☐ ¼ kilo de chícharos
- ☐ 2 jitomates
- ☐ Un pedazo de cebolla
- ☐ Un diente de ajo
- ☐ 2 cucharadas de aceite
- ☐ Sal al gusto

Se fríe en el aceite la verdura mencionada a que sancoche un poco, después se le agrega el jitomate que estará licuado con el ajo, cebolla y sal. Se deja hervir a que esté cocida la verdura.

Sopa mexicana

- ☐ ½ paquete de pasta o de fideo
- ☐ Un diente de ajo
- ☐ Un pedazo de cebolla
- ☐ 2 jitomates medianos
- ☐ Un ramito de perejil
- ☐ Un ramito de apio picado
- ☐ Aceite el necesario
- ☐ Sal al gusto

Se licua el jitomate, ajo, cebolla y sal. Se dora la pasta en el aceite, enseguida se le agrega lo licuado, un poco de agua a cocer la pasta; al final se le echa el perejil y apio.

Sopa de papa

- ☐ ½ kilo de papa partida en cuadros
- ☐ Un pedazo de cebolla
- ☐ Un manojo chico de perejil picado
- ☐ Un diente de ajo picado
- ☐ 2 chiles serranos picados
- ☐ Una cucharadita de comino
- ☐ Un jitomate cocido y licuado
- ☐ Aceite, el necesario
- ☐ Sal al gusto

Se fríe la cebolla y el ajo en el aceite caliente a que queden rosaditos, se le agrega el perejil, en seguida el jitomate, los chilitos y por último la papa a que se sancoche un ratito. Se le agrega sal, comino, agua y se deja a hervir hasta que esté cocida la papa.

Crema de elote

- ☐ 6 elotes desgranados y cocidos
- ☐ 50 gramos de mantequilla
- ☐ Una cucharada de harina
- ☐ ½ litro de leche
- ☐ 5 cucharadas de crema
- ☐ Sal al gusto

Se fríe la harina en la mantequilla a que quede rosadita, se agregan los granos de elote, se sancochan, se le agrega la leche, sazonando todo con sal, se agrega la crema hasta que suelte un hervor y se apaga.

Crema de zanahoria

- ☐ Un kilo de zanahoria cocida y licuada en un poco de agua
- ☐ 2 cucharadas de harina
- ☐ 100 gramos de mantequilla
- ☐ Leche, la necesaria
- ☐ Sal y pimienta, al gusto

Se agrega la harina a la mantequilla a fuego lento y se mueve hasta que esté dorada, en seguida se le agrega la leche, zanahoria, sal y pimienta, se deja hervir un poco; esta sopa no debe quedar ni muy aguada ni muy espesa; si se desea se puede acompañar con panecitos dorados o tostaditas.

Crema de calabacitas

- ☐ Un kilo de calabacitas cocidas y licuadas en un poco de agua
- ☐ ½ cebolla chica picada
- ☐ 50 gramos de mantequilla
- ☐ Leche, la necesaria
- ☐ Sal y pimienta, al gusto

Se fríe la cebolla en la mantequilla a dorar, se le agrega las calabacitas molidas junto con la leche, sal y pimienta, se deja hervir un rato a que sazone.

Crema de chícharo

- ☐ Un kilo de chícharos pelados, cocidos y licuados en poca agua
- ☐ 50 gramos de mantequilla
- ☐ Una cebolla chica picada
- ☐ 2 vasos de leche
- ☐ Sal y pimienta, al gusto

Se dora la cebolla en la mantequilla, se le agrega el chícharo, leche sal y pimienta, se deja hervir a sazonar.

Sopa de flor de calabaza con chipotle

- ☐ ½ kilo de flor de calabaza lavada y cortada
- ☐ 4 calabazas picadas
- ☐ 3 elotes desgranados tiernos
- ☐ 2 chiles chipotles secos
- ☐ Un pedazo de cebolla picada
- ☐ Un diente de ajo picado
- ☐ Una rama de epazote
- ☐ Aceite y sal, el necesario

Se fríe en el aceite la cebolla y el ajo, se agregan los chiles chipotles, el elote, la calabaza y la flor de calabaza, se sancochan, se agrega agua caliente, el epazote y sal. Se deja hervir a que se cueza.

Sopa de rajas con elote

- ☐ 4 chile poblanos desvenados y rebanados
- ☐ Una cebolla pequeña en rebanadas
- ☐ 5 elotes tiernos desgranados
- ☐ Aceite, el necesario
- ☐ Sal al gusto

Se acitrona la cebolla en el aceite, se agregan las rajas a sancochar y en seguida el elote, se agrega agua caliente, se deja hervir a fuego lento a que se cueza.

Tallarín verde

- ☐ ½ kilo de tallarín verde
- ☐ 4 jitomates asados, pelados y picados
- ☐ Una cebolla chica picada
- ☐ Queso fresco, al gusto
- ☐ 50 gramos de mantequilla

Se pone una olla a la lumbre con agua, un poco de sal y un chorrito de aceite. Cuando ya está hirviendo se le adiciona el tallarín; ya cocido se vacía a una coladera, se enjuaga con agua fría y se deja escurrir. En otra olla se acitrona la cebolla con un poco de aceite, se le agrega el jitomate, se deja sancochar, se le añade el perejil y se cocina un poco; en cuanto se ha deshecho el jitomate y se haya formado una salsa ni muy aguada ni muy espesa, se le pone queso a que hierva un rato. Se vacía el tallarín, el resto del queso y mantequilla en trozos, se apaga el fuego y se sirve en seguida.

Macarrón con queso

- ☐ Un paquete de macarrón
- ☐ 2 jitomates grandes
- ☐ Un pedazo de cebolla mediana
- ☐ 2 dientes de ajo
- ☐ Un jitomate cocido y licuado para hacer puré
- ☐ 2 cucharadas grandes de crema
- ☐ 50 gramos de mantequilla
- ☐ 200 gramos de queso chihuahua
- ☐ Sal al gusto

Se licua el jitomate, puré de tomate, cebolla, ajo y sal en un poco de agua. En una cacerola se derrite la mantequilla, se vacía lo licuado, se sazona y se deja espesar ligeramente. Se vierten los macarrones, que ya estarán cocidos, a la salsa, se añade la crema y se deja sazonar. En seguida se vacían a un platón poniendo encima el queso que estará rallado.

Coditos a la crema

- ☐ Un paquete de coditos, cocidos
- ☐ Una cebolla picada
- ☐ Un manojito de perejil picado
- ☐ 100 gramos de mantequilla
- ☐ ¼ litro de crema
- ☐ ½ vaso de leche
- ☐ 100 gramos de queso Chihuahua rallado

En una sartén se acitrona la cebolla con la mantequilla, se agrega el perejil a que se fría, se añade la leche, crema y sal, a que espese un poco; se agregan los coditos, se deja hervir un rato, se sirve y se rocía el queso.

Guisados

Chiles rellenos de queso

- ☐ 6 chiles poblanos, asados, pelados y desvenados
- ☐ 150 gramos de queso fresco en trozos
- ☐ ½ kilo de jitomate
- ☐ Un pedazo de cebolla
- ☐ Un diente de ajo
- ☐ 2 hojitas de laurel
- ☐ Aceite, el necesario
- ☐ Sal al gusto

Se rellenan los chiles con el queso. Se licua el jitomate con cebolla, ajo y sal. Lo licuado se sofríe en el aceite, se le agrega las hojitas de laurel y los chiles a que se cuezan. Se pueden servir agregándole crema.

Chiles rellenos de queso, capeados

- ☐ 6 chiles poblanos asados, pelados y desvenados
- ☐ 150 gramos de queso fresco en trozos
- ☐ 2 huevos
- ☐ Harina
- ☐ Aceite, el necesario
- ☐ Sal al gusto

Se rellenan los chiles. Se bate la clara de los huevos a punto de listón, se le agrega la yema y se incorpora bien, se le pone sal. Los chiles se empanizan, en harina y se capean en el huevo, se fríen en el aceite que estará muy caliente, a que se doren. Al servir se pueden bañar con salsa de jitomate o bien con crema.

Chiles rellenos de frijoles al horno

- ☐ 6 chiles poblanos asados, pelados y desvenados
- ☐ Frijol cocido, refrito, seco, el necesario
- ☐ 3 jitomates cocidos
- ☐ Un pedazo de cebolla
- ☐ Un diente de ajo
- ☐ Queso Oaxaca deshebrado al gusto

Se licua el jitomate, cebolla, ajo y sal, se sofríe en poco aceite. Se colocan los chiles ya rellenos con el frijol y se bañan con la salsa de jitomate y el queso, se meten a gratinar al horno.

Chiles rellenos de queso y granos de elote, al horno

- ☐ 6 chiles poblanos asados, pelados y desvenados
- ☐ Queso fresco rallado el necesario
- ☐ 3 elotes tiernos, desgranados y cocidos
- ☐ ¼ kilo de crema
- ☐ Mantequilla, la necesaria
- ☐ Sal al gusto

Se rellenan los chiles con el queso revuelto con los granos de elote. Se unta con mantequilla el refractario, se acomodan los chiles, se bañan con la crema y el queso se meten al horno a gratinar.

Chiles rellenos con flor de calabaza, elote y queso

- ☐ 3 manojos de flor de calabaza
- ☐ 10 chiles poblanos, asados, pelados y desvenados
- ☐ Una cebolla chica picada
- ☐ 3 elotes tiernos, desgranados y cocidos
- ☐ ½ litro de crema
- ☐ 300 gramos de queso fresco
- ☐ 50 gramos de mantequilla
- ☐ Sal al gusto

Se acitrona la cebolla en un poco de mantequilla, se agregan los granos de elote, se tapan durante 5 minutos; se añade la flor de calabaza picada y la mitad de la crema. Se rellenan los chiles con esto. En un refractario con la otra mitad de la mantequilla, se colocan los chiles y se bañan con el sobrante de la crema y el queso; se meten al horno a gratinar.

Chiles anchos rellenos

- ☐ 6 chiles anchos
- ☐ Frijoles refritos
- ☐ 3 elotes tiernos desgranados y cocidos
- ☐ 150 gramos de queso Oaxaca deshebrado
- ☐ 150 gramos de queso panela rallado
- ☐ ¼ litro de crema
- ☐ Sal al gusto

Se pone agua a hervir en una sartén y se echan los chiles anchos a cocer unos 3 minutos, cuidando que no se desbaraten, se abren de un lado a lo largo y se desvenan. Se rellenan con frijolitos y un poco de cada queso y se cierran con un palillo. Se colocan en un refractario, se rocían con los granos de elote, se agrega la crema y por último el resto de los quesos; se meten al horno a 350° durante 20 minutos.

Elotitos con rajas y queso

- ☐ 4 chiles poblanos asados, pelados y desvenados
- ☐ 4 elotes tiernos desgranados
- ☐ Una cebolla en rebanadas
- ☐ ½ litro de crema
- ☐ 250 gramos de queso Oaxaca
- ☐ 250 gramos de queso fresco
- ☐ 2 jitomates asados
- ☐ Un diente de ajo
- ☐ 50 gramos de mantequilla
- ☐ Sal al gusto

Se licua el jitomate con ajo y un poco de cebolla. En una cacerola con aceite se acitrona la cebolla y después se le agregan las rajas de chile poblano, se le pone el jitomate y sal al gusto. En un refractario con mantequilla se vacían los granos de elote, se le añade un poco de la salsa, un poco de los quesos y un poco de crema; se pone el resto de los granos de elote, el sobrante de la salsa, la crema y otro poco de los quesos; se mete al horno unos 20 minutos.

Rajas de chile poblano con papa y huevo

- ☐ ½ kilo de chiles poblanos, pelados, desvenados y partidos en rajas
- ☐ Una cebolla en rebanadas
- ☐ 2 jitomates
- ☐ Un diente de ajo
- ☐ 3 papas partidas en rodajas
- ☐ 3 huevos
- ☐ Aceite, el necesario
- ☐ Sal al gusto

Se acitrona la cebolla en el aceite, se le pone las rajas de chile, se le añade las papas, el jitomate licuado con el ajo. En cuanto ya se ha sazonado todo muy bien y se han cocido las papas, se le agregan los huevos, además de la sal, se baja la lumbre, se tapa la cacerola a que sazone y se revuelve para que no se pegue.

Nopales en salsa verde

- ☐ 8 nopales tiernos picados y cocidos
- ☐ ½ kilo de tomate verde
- ☐ 3 chiles serranos
- ☐ Un manojo chico de cilantro
- ☐ 2 hojas de lechuga
- ☐ Un diente de ajo
- ☐ Un pedazo de cebolla
- ☐ 2 papas partidas en cuadritos
- ☐ Aceite, el necesario
- ☐ Sal al gusto

Se licuan los tomates, chiles, cilantro, ajo, cebolla, lechuga y sal. Se fríe esta salsa en aceite, en cuanto se sazone bien se agregan los nopalitos, y las papas a que se sazonen un rato; la salsa debe quedar un poco espesa.

Nopales en salsa de chile pasilla

- ☐ 8 nopales tiernos picados y hervidos
- ☐ 3 chiles pasilla asados y desvenados
- ☐ 2 jitomates grandes asados
- ☐ Un pedazo de cebolla
- ☐ Un diente de ajo
- ☐ Aceite, el necesario
- ☐ Sal al gusto

Se licuan los chiles, jitomates, ajo, cebolla y sal. En una sartén se calienta el aceite y se agrega esta salsa a que se sazone, después se agregan los nopalitos y se hierve un rato. La salsa debe ser espesa.

Nopales con huevo

- ☐ 8 nopales picados y cocidos
- ☐ 3 huevos
- ☐ Una cebolla en rebanadas
- ☐ Aceite, el necesario
- ☐ Sal al gusto

Se acitrona la cebolla con el aceite, se agregan los nopales; se dejan sazonar, se le pone la sal y los huevos, se revuelve todo muy bien y se apaga cuando ya se han cocido los huevos.

Ensalada de nopales

- ☐ 10 nopales picados y cocidos
- ☐ Una lechuga chiquita orejona picada finamente
- ☐ 2 manojos de cebollita cambrai picada
- ☐ Un manojo de cilantro picado
- ☐ 3 chiles serranos picados
- ☐ Un aguacate en rajas
- ☐ Un jitomate partido en rebanadas
- ☐ Un puñito de orégano
- ☐ 2 limones (jugo)
- ☐ Aceite, el necesario
- ☐ Sal al gusto

Se revuelven todos los ingredientes. Si se desea se puede decorar con queso fresco rallado.

Nopales con rajas

- ☐ 10 nopales partidos en rajas y cocidos
- ☐ Una cebolla partida en rebanadas
- ☐ Un puñito de comino
- ☐ 2 chiles poblanos asados, desvenados y partidos en rajas
- ☐ Un manojo de cilantro picado
- ☐ Aceite de oliva
- ☐ 2 aguacates partidos en rajas
- ☐ Sal al gusto

Se acitrona la cebolla en el aceite de oliva, luego las rajas, los nopales, comino y sal. Al servirse se adorna con el aguacate y cilantro.

Nopales capeados con queso y salsa pasilla

- ☐ 10 nopales chicos, tiernos, enteros y cocidos
- ☐ 10 rebanadas de queso fresco
- ☐ 4 huevos
- ☐ Harina, la necesaria
- ☐ 3 chiles pasilla asados y desvenados
- ☐ 2 jitomates asados
- ☐ Un diente de ajo
- ☐ Un pedazo de cebolla

☐ Aceite el necesario
☐ Sal al gusto

Se coloca una rebanada de queso sobre una de las caras de cada nopal y se revuelven en harina. Se baten las claras a punto de turrón, se le agregan las yemas y sal y se incorpora todo muy bien. Se sumerge cada nopal en el huevo y se ponen a freír en aceite caliente. Se fríen de cada lado hasta que queden de un color dorado.

Por separado se ponen los chiles pasilla, jitomate, cebolla y ajo a licuar. En el mismo aceite donde se frieron los nopales se fríe esta salsa y se sazona con sal y un poco de agua. Se deja hervir a que espese ligeramente, se sumergen en esta salsa los nopalitos capeados y se dejan que hiervan unos minutos, para que se sazonen y espese un poco la salsa. Se sirven calientes y se pueden acompañar con arroz.

Espinacas con queso al horno

☐ Un kilo de espinaca, lavada, picada y cocida
☐ 500 gramos de queso panela rallado
☐ 50 gramos de mantequilla
☐ 6 huevos
☐ Una cebolla pequeña picada finamente
☐ Aceite, el necesario
☐ Sal al gusto

Se acitrona la cebolla en un poco de aceite, se agrega la espinaca a que se cueza, añadiéndole medio vaso con agua y se apaga. Al queso se le revuelve los huevos y se bate todo muy bien a que quede una pasta ni muy espesa ni aguada. Se aparta una cuarta parte de ésta para ponerla encima posteriormente. Se revuelve todo perfectamente bien con la espinaca. En un refractario untado con mantequilla se vacía esta mezcla, se extiende en forma perfecta y encima se le pone la capa con el queso que se apartó y se hace lo mismo. Se mete al horno a 350° durante media hora más o menos y en cuanto se ve dorado claro se saca del horno.

Espinacas en su jugo

- ☐ Un kilo de espinacas, lavadas y picadas finamente
- ☐ Una Cebolla grande, picada finamente
- ☐ Pimienta, aceite y sal al gusto

Se acitrona la cebolla, se le agrega la espinaca, sal y pimienta, se cuese a vapor.

Espinacas con papas

- ☐ Un kilo de espinaca lavada, picada y cocida
- ☐ ½ kilo de papas cortadas en cuadritos y cocidas
- ☐ Una cebolla picada
- ☐ 2 jitomates cocidos y licuados
- ☐ Aceite el necesario
- ☐ Sal al gusto

En una sartén con el aceite donde se pusieron a dorar las papas, se fríe la cebolla, se pone la espinaca a sofreír, después se le agrega el jitomate licuado, un vaso de agua más o menos; se deja hervir y al final se le añaden las papas y se hierve un rato a que todo este cocido.

Acelgas con huevo

☐ Un kilo de acelgas cocidas y picadas
☐ 4 huevos
☐ 6 ramas de apio picado
☐ Una cebolla mediana picada
☐ Una cucharada de orégano
☐ Pimienta, la necesaria
☐ Sal al gusto

Se acitrona la cebolla en aceite, se le agrega el apio picado y la acelga, se deja hervir un poco hasta que quede poco líquido. Se baten los huevos, se le pone el orégano y la pimienta y se añade poco a poco a la acelga, se deja con lumbre bajita, se le adiciona la sal hasta que se sazone y se cueza el huevo.

Coliflor capeada

☐ Una coliflor en trozos medianos, cocida
☐ 4 huevos
☐ 2 jitomates crudos molidos en la licuadora
  con un pedazo de cebolla y ajo
☐ 2 chiles serranos partidos en pedazos
☐ 2 cucharadas de harina

- ☐ Hoja de laurel al gusto
- ☐ Aceite, el necesario
- ☐ Sal al gusto

Se espolvorea con harina la coliflor. Se baten las claras a punto de turrón, se le agregan las yemas y sal y se siguen batiendo a que se incorpore, se sumerge la coliflor tratando de bañarla perfectamente, se fríe en una sartén con aceite bien caliente a que queden doraditas. Por separado, en una cacerola con el mismo aceite donde se frieron las coliflores, se pone a freír la salsa que licuó con el jitomate, se le añade el laurel y sal, se deja hervir un rato, se le pone la coliflor para que hierva otro rato, que quede una salsa ni muy espesa ni muy aguada.

Coliflor en salsa de jitomate

- ☐ Una coliflor en trozos, cocida
- ☐ ½ kilo de jitomate
- ☐ Un pedazo de cebolla
- ☐ Un diente de ajo
- ☐ 2 ó 3 hojitas de laurel
- ☐ Aceite y sal el necesario

La coliflor se cuece con un pedazo de bolillo para que absorba los gases. Se sofríe el jitomate licuado con la cebolla, ajo y sal; cuando está hirviendo se le agrega la coliflor y las hojas de laurel a que se guise.

Calabacitas con flor de calabaza

- ☐ Un kilo de calabacitas tiernas picadas
- ☐ Un pedazo de cebolla picada
- ☐ Una rama de epazote
- ☐ 3 chilitos serranos partidos a la mitad
- ☐ Un manojo de flor de calabaza
- ☐ Un manojo chico de cilantro
- ☐ Un elote desgranado
- ☐ Sal al gusto

Se fríe la cebolla en un poco de aceite, se le agrega las calabacitas, moviéndolas de vez en cuando a fuego lento y se tapa. A medio cocer se le añade la flor de calabaza, los chiles, epazote, elote, cilantro y sal, se tapa y se cuece a fuego lento.

Calabacitas a la mexicana

- ☐ Un kilo de calabacitas tiernas picadas
- ☐ Un pedazo de cebolla picada
- ☐ 2 jitomates picados
- ☐ 2 chiles serranos picados
- ☐ Un elote tierno desgranado
- ☐ Una rama de cilantro
- ☐ Aceite, el necesario
- ☐ Queso panela, rallado al gusto
- ☐ Sal al gusto

Se fríe la cebolla en el aceite, se le agrega las calabacitas se deja a fuego lento tapada y moviéndola continuamente hasta que casi ya se haya cocido, se le agrega el jitomate, chile, elote, cilantro y sal. Se deja otro rato hasta que todo se haya sazonado muy bien con la sal, al final se le pone el queso encima y se apaga la lumbre.

Calabacitas con elote y rajas

- ☐ ¾ kilo de calabacitas tiernas picadas
- ☐ Una cebolla mediana partida en rajas
- ☐ 3 chiles poblanos asados, desvenados y pelados partidos en rajas
- ☐ 2 elotes tiernos desgranados
- ☐ Aceite, el necesario
- ☐ Sal al gusto

En una sartén se fríe con un poco de aceite la cebolla, cuando esté ligeramente dorada le agrega el chile poblano, elote, calabacitas y sal, se cuece a fuego lento y se mueve de vez en cuando; se le puede añadir crema al servir.

Calabacitas rellenas

- ☐ Un kilo de calabaza de bola a medio cocer
- ☐ 3 huevos
- ☐ 3 jitomates
- ☐ Un pedazo de cebolla
- ☐ Un diente de ajo
- ☐ 2 chiles serranos partidos a la mitad
- ☐ ¼ kilo de queso panela rallado
- ☐ Aceite, harina y sal al gusto

Las calabazas se parten a lo ancho simulando una ollita con su tapa, se vacían ligeramente y se mezcla el queso con el corazón que se le extrajo a la calabaza; se rellenan con esta mezcla, se cubre con su tapa y se espolvorean con la harina. Por separado se baten a punto de turrón las claras, se le agregan las yemas y sal revolviendo muy bien. Las calabazas se sumergen en el huevo a que queden bien cubiertas, se fríe en el aceite que estará bien caliente a que estén doradas.

Por separado en una cacerola con aceite en donde se doraron las calabazas, se fríe la salsa que se hará licuando el jitomate, cebolla, chiles, ajo y sal. Cuando empieza a hervir esta salsa se sumergen las calabazas. Ya que estén bien cocidas las calabazas y la salsa no esté ni muy aguada ni muy espesa se retira de la lumbre.

Calabacitas con huevo y queso

- ☐ Un kilo de calabacitas tiernas picadas
- ☐ Un pedazo de cebolla picada
- ☐ 250 gramos de queso panela rallado
- ☐ 100 gramos de queso Chihuahua rallado
- ☐ 5 huevos
- ☐ 100 gramos de mantequilla
- ☐ Sal al gusto

En una sartén con un poco de aceite se acitrona la cebolla, se le agrega la calabacita y un poco de sal. Se cuece a fuego lento moviéndola de vez en cuando.

Por separado en un platón hondo se revuelven los quesos, la mantequilla y los huevos. Se separa un poco de esta pasta para la capa de encima. Se agrega la calabaza a la pasta y un poco de agua, ya que la calabaza no debe quedar muy seca. Se revuelve perfectamente y se vacía a un refractario untado con mantequilla, se reparte bien y se cubre con la mitad de la pasta que se separó. Se mete a horno a 350 grados y se apaga cuando ya se ve doradita.

Calabazas con pimienta

- ☐ ½ kilo de calabacita tierna y picada
- ☐ Un pedazo de cebolla picada
- ☐ 3 chiles verdes partidos en mitades
- ☐ Pimienta al gusto
- ☐ Aceite, el necesario
- ☐ Sal al gusto

Se acitrona la cebolla en el aceite, se le agregan los chiles, calabacita, pimienta y sal y un poco de agua. Se cuece a fuego lento moviéndolas de vez en cuando.

Tortas de ejotes

- ☐ ¾ kilo de ejotes pelados, partidos y cocidos
- ☐ 2 huevos
- ☐ 2 jitomates
- ☐ Un pedazo de cebolla
- ☐ Un diente de ajo
- ☐ Harina para espolvorear
- ☐ Aceite, el necesario
- ☐ Sal al gusto

Se baten a punto de turrón las claras, se le agregan las yemas y sal y se baten bien. Se pone en la lumbre una sartén con aceite a que esté bien caliente. Mientras tanto se toma con los dedos un puño de ejotes, se espolvorean con la harina, se recogen con una cuchara y se sumergen en el huevo batido, se meten en el aceite a que doren por todos lados. Aparte se licua el jitomate, cebolla, ajo y sal y se fríe en un poco de aceite; cuando está hirviendo se le agregan las tortillas de ejotes a que hiervan un poco.

Ejotes con papas

☐ ½ kilo de ejotes pelados y partidos en pedazos
☐ 4 papas medianas, peladas y cortadas en pedacitos
☐ Un pedazo de cebolla
☐ 2 cucharadas de aceite de olivo
☐ Sal y pimienta la necesaria

En una sartén con aceite se acitrona la cebolla, se le agregan los ejotes y las papas, todo crudo; se sazonan con sal y pimienta, y ya que estén transparentes se le pone un poco de agua, la suficiente para cubrir la verdura, se tapan y se dejan hervir a fuego mediano hasta que estén cocidas las verduras.

Ejotes con queso

☐ ½ kilo de ejotes tiernos, pelados, cocidos y partidos

- ☐ ¼ kilo de queso fresco (para derretir)
- ☐ Una taza de leche
- ☐ ½ taza de crema
- ☐ 2 pimientos morrones partidos en cuadritos
- ☐ 2 cucharadas de perejil finamente picado
- ☐ Una cucharada de mantequilla
- ☐ Sal y pimienta, la necesaria

En una cacerola se pone la mantequilla a derretir, se le agrega el queso con la leche a fuego suave moviendo constantemente hasta que esté derretido el queso e incorporado con la leche, luego se le añade la crema, se sazona con la sal y pimienta y muy caliente se vierte sobre los ejotes al momento de servirse. Se adornan con el perejil y los pimientos picados.

Ejotes con mantequilla

- ☐ ½ kilo de ejotes pelados, partidos y cocidos
- ☐ Un pedazo de cebolla finamente picado
- ☐ Un manojo de perejil finamente picado
- ☐ 3 cucharadas de aceite
- ☐ Un limón (jugo)
- ☐ Sal y pimienta, la necesaria

Se acitrona la cebolla en la mantequilla, se agregan los ejotes, perejil y sal a que se impregne bien con la mantequilla y al final se le pone el jugo de limón.

Ejotes con huevos

- ☐ ½ kilo de ejotes, pelados, partidos y cocidos
- ☐ Una taza de hongos cocidos a vapor
- ☐ ½ taza de crema fresca
- ☐ 2 cebollas picadas
- ☐ 2 zanahorias finamente picadas
- ☐ 3 cucharadas de mantequilla
- ☐ Sal y pimienta al gusto

En una sartén se acitrona la cebolla en la mantequilla, se le agrega la zanahoria, ejotes, hongos, sal y pimienta, se añade la crema, se revuelve y se deja hervir hasta que se sazone.

Hongos con queso

- ☐ ½ kilo de hongos lavados y partidos
- ☐ Una cebolla chica picada
- ☐ 2 dientes de ajo picados
- ☐ Una cucharada de mantequilla
- ☐ 150 gramos de queso Oaxaca deshebrado
- ☐ ¼ litro de crema

Se acitrona la cebolla en la mantequilla, y los ajos, después se agregan los hongos a que se cuezan en su propio jugo. Se acomodan en un refractario, se le añade el queso y crema y se mete al horno a gratinar.

Hongos a la oaxaqueña

- [ ] Un kilo de hongos frescos, lavados y partidos
- [ ] Una cebolla chica finamente picada
- [ ] 2 cucharadas de aceite de olivo
- [ ] 2 jitomates grandes
- [ ] 3 dientes de ajo
- [ ] Un chile ancho tostado y desvenado
- [ ] Una hoja de hierba santa
- [ ] Un pedazo de pan tostado, remojado en agua
- [ ] Sal y pimienta la necesaria

En una sartén se fríen los ajos y los hongos. Se licua la hoja santa, jitomate, chile, cebolla, ajo y sal; esto licuado se fríe en una sartén con un poco de aceite caliente, se sazona con la pimienta; cuando se fríe unos minutos se le añaden los hongos con el jugo que soltaron a que se cuezan.

Hongos asados

- [ ] ½ kilo de hongos lavados y partidos
- [ ] Mantequilla, la necesaria
- [ ] Sal y pimienta al gusto

Se unta de mantequilla un refractario y ahí se extienden los hongos, se espolvorean con sal y pimienta y trocitos de mantequilla. Se mete a horno muy caliente (450°) y se cuecen durante 15 minutos. Cada cinco minutos se rocían con su propio jugo.

Hongos con crema

- ☐ Un kilo de hongos lavados y partidos
- ☐ 2 cucharadas de harina de trigo
- ☐ Un ramo de perejil finamente picado
- ☐ Un pedazo de cebolla molida y colada
- ☐ Una taza de crema fresca
- ☐ Sal y pimienta, la necesaria

Se colocan los hongos en una cacerola sin grasa, se cubren con la cebolla molida, la harina disuelta en la crema, sal y pimienta, se tapan y se dejan hervir a vapor hasta que se cuezan. Al servir se espolvorean con el perejil.

Hongos empanizados

- ☐ ½ kilo de hongos frescos, lavados y partidos
- ☐ Una taza de pan molido
- ☐ 4 cucharadas de mantequilla
- ☐ 4 cucharadas de queso Chihuahua rallado
- ☐ 2 huevos
- ☐ 3 dientes de ajo
- ☐ Una cucharada de aceite de olivo
- ☐ Mantequilla para untar
- ☐ Sal y pimienta la necesaria
- ☐ Leche, si se necesita

Los hongos se ponen a cocer a fuego lento unos minutos, tapados; ya medio cocidos se retiran del fuego, se sacan del jugo que soltaron y se dejan enfriar. Se bate la mantequilla y cuando se acrema se le agrega el queso y el pan, se le añaden los huevos, sal y pimienta. Si queda una pasta consistente se le pone un poco del jugo de los hongos o un poco de leche fría.

Se engrasa un refractario en mantequilla, se acomodan los hongos que estarán bañados en la salsa que deberá estar espesa. Se le pone mantequilla encima y se mete a horno lento (250°) hasta que estén dorados.

Hongos en aceite

- ½ kilo de hongos frescos, lavados y partidos
- Un pedazo de cebolla finamente picada
- 3 dientes de ajo
- Una cucharada de mantequilla
- 2 cucharadas de aceite de oliva
- Una ramita de perejil finamente picado

En una sartén se pone el aceite y mantequilla a fuego lento se acitrona la cebolla, se añaden los hongos, ajos, perejil, sal y pimienta, se tapan y se cuecen a fuego lento, se les puede agregar una ramita de epazote.

Hongos en su jugo

- ½ kilo de hongos frescos, lavados y partidos
- 2 cucharadas de mantequilla
- Un ramito de perejil finamente picado
- 3 dientes de ajo
- Sal y pimienta al gusto

Se acitrona en la mantequilla los ajos, se agregan los hongos y el perejil, se sazonan con sal y pimienta. Se tapan y se dejan hervir a fuego lento hasta que se cuezan.

Hongos con jitomate

- ☐ ½ kilo de hongos frescos, lavados y partidos
- ☐ ¼ kilo de jitomate
- ☐ ¼ litro de crema
- ☐ Un pedazo de cebolla, finamente picada
- ☐ 3 dientes de ajo
- ☐ Una ramita de perejil finamente picado

Se acitrona la cebolla en la mantequilla, se le agregan los hongos y ajos. Se tapan y se dejan hervir a fuego lento unos 20 minutos. En una sartén se pone un poco de mantequilla y se fríe el jitomate que estará asado, pelado y licuado, se sazona con sal y pimienta, se le añaden los hongos y se dejan hervir hasta que estén cocidos y la salsa espese. Al servirse se les pone la crema.

Hongos con pimiento morrón

- ☐ ½ kilo de hongos lavados, partidos
- ☐ 3 pimientos morrón partidos
- ☐ 3 dientes de ajo
- ☐ 2 cucharadas de aceite de oliva
- ☐ Sal y pimienta al gusto

Se fríen los ajos en el aceite, se le agrega el pimiento morrón a que se vea cristalino; se le añaden los hongos, sal y pimienta, se tapa la cacerola; a fuego lento y se mueve de vez en cuando, se apagan cuando estén cocidos.

Brócoli con queso

- ☐ ½ kilo de brócoli cocido
- ☐ 100 gramos de mantequilla
- ☐ ¼ litro de crema
- ☐ 125 gramos de queso panela rallado
- ☐ 125 gramos de queso Oaxaca deshebrado

Se unta el refractario de mantequilla, se extiende el brócoli con trocitos de mantequilla y los quesos y la crema. Se mete a hornear a que se gratinen los quesos.

Brócoli con mantequilla

- ☐ ½ kilo de brócoli cocido con sal
- ☐ 4 cucharadas de mantequilla
- ☐ Un pedazo de cebolla finamente picada
- ☐ Sal y pimienta al gusto

Se acitrona la cebolla en la mantequilla, se le agrega el brócoli sal y pimienta, que se sazone. Se sirve caliente.

Brócoli con salsa de soya

- ☐ Un kilo de brócoli fresco
- ☐ Una cebolla mediana en cuartos
- ☐ 4 cucharadas de salsa de soya

☐   Sal y pimienta al gusto
☐   2 cucharadas de mantequilla

Se pone al fuego lento la mantequilla, se agrega el brócoli con una poca de agua y la cebolla, se tapa la sartén, cuando está medio cocido se le añade la salsa de soya, sal y pimienta hasta que se cueza.

Romeritos en salsa

☐   Un kilo de romeritos, lavados y cocidos
☐   3 chiles anchos, asados
☐   4 chiles cascabel, asados
☐   4 chiles guajillo, asados
☐   3 jitomates, asados
☐   Un pedazo de cebolla
☐   3 dientes de ajo
☐   2 papas partidas en cuadros
☐   4 nopales medianos partidos en rajas
☐   Un puño de habas
☐   Un puño de chícharos
☐   Aceite y sal al gusto

Se licuan los chiles, jitomate, cebolla y ajo. En una sartén con aceite se fríe esta salsa, se agrega la papa, romeritos, habas, chícharos y nopales, se deja hervir hasta que se cuezan las verduras.

Romeritos con mole

- ☐ Un kilo de romeritos limpios y cocidos
- ☐ 200 gramos de pasta de mole
- ☐ ¼ kilo de papa chiquita cocida
- ☐ 4 nopalitos cocidos tiernos
- ☐ Caldo de verduras
- ☐ Azúcar, si es necesario
- ☐ Sal al gusto

Se desbarata la pasta del mole en el caldo de verduras calientes a que quede espeso, este mole se vacía en una cazuela con aceite caliente a que se sazone; se le agregan los romeritos, papas y nopales hasta que se sazonen, si pica el mole se le puede agregar un poco de azúcar y sal la necesaria.

Chayotes con queso y mantequilla

- ☐ 4 chayotes sin espinas cocidos, pelados y partidos en cubitos
- ☐ 50 gramos de mantequilla
- ☐ 150 gramos de queso panela partido en cuadritos
- ☐ 150 gramos de queso Oaxaca deshebrado
- ☐ Sal al gusto

En un refractario se coloca una cama de chayotes, otra de los quesos, chayotes, quesos, etcétera hasta terminar con los quesos y se le ponen pedacitos de mantequilla; se meten al horno a gratinar.

Chayotes a la crema

- ☐ 5 chayotes sin espinas, cocidos, pelados y rebanados
- ☐ Una taza de pan rallado
- ☐ Una taza de queso añejo rallado
- ☐ 3 cucharadas de mantequilla
- ☐ Una taza de crema fresca
- ☐ Sal y pimienta al gusto

En un refractario engrasado con mantequilla, se extiende una capa de chayotes y se le pone encima queso y crema; se espolvorean con sal y pimienta, luego otra capa de chayotes y así sucesivamente hasta terminar con queso y crema; se espolvorea con el pan y trocitos de mantequilla. Se mete a horno caliente a 350° para que gratine y dore un poco.

Chayotes con rajas

- ☐ 6 chayotes sin espinas, cocidos, pelados y cortados en rebanadas
- ☐ 5 chiles poblanos en rebanadas
- ☐ Una taza de crema fresca
- ☐ ½ taza de queso panela rallado
- ☐ 3 cucharadas de mantequilla
- ☐ Sal al gusto

En un refractario engrasado con mantequilla se acomodan los chayotes alternándolos con las rajas, se espolvorean con sal y se cubren con el queso y la crema. Se meten a horno caliente (350°) a que gratinen.

Chayotes con perejil

- ☐ 4 chayotes pelados, cocidos y rebanados
- ☐ Una cucharada de perejil finamente picado
- ☐ Una cebolla finamente picada
- ☐ 2 cucharadas de mantequilla
- ☐ Sal y pimienta al gusto

En una sartén se acitrona la cebolla con la mantequilla, se agregan los chayotes, sal y pimienta a cocinarse. Se sirve muy caliente y se adornan con el perejil.

Chayotes rellenos de queso

- ☐ 4 chayotes medianos sin espinas
- ☐ 2 tazas de queso en rebanadas panela
- ☐ Una taza de jitomate cocido molido y colado
- ☐ Una cucharada de cebolla finamente picada
- ☐ 4 cucharadas de mantequilla
- ☐ Una cucharada de pan molido
- ☐ Sal y pimienta el gusto

Los chayotes se ponen a cocer en agua hirviendo con sal, se parten a la mitad y se les saca la pulpa (corazón). En una sartén se ponen dos cucharadas de mantequilla y se acitrona la cebolla, se le agrega el jitomate licuado a que se fría; se añade la pulpa del chayote previamente picada, se sazona con sal y pimienta; ya todo frito se vacía en el cascarón del chayote, se colocan en un refractario extendido para no encimarlos; se espolvorean con el pan y se les ponen trocitos de mantequilla; con las dos cucharadas que sobraron, se meten a horno caliente a 350° a que se gratinen.

Acelgas con mantequilla

- ☐ Un kilo de acelgas lavadas y picadas finamente
- ☐ Una cebolla mediana finamente picada
- ☐ 4 cucharadas de mantequilla
- ☐ Sal y pimienta al gusto.

En una cacerola se pone la mantequilla, cuando está diluida se pone a acitronar la cebolla, se agregan las acelgas y se sazonan con la sal y pimienta, se tapan y se dejan cocinar a fuego lento para que se cuezan en su propio jugo.

Acelgas con papas

- ☐ Un kilo de acelgas lavadas y finamente picadas
- ☐ 2 papas peladas y picadas
- ☐ Una cebolla chica finamente picada
- ☐ Una cucharada de aceite de oliva
- ☐ Sal y pimienta al gusto

En una sartén se fríen en el aceite las acelgas, cebollas y papas, se sazonan con la sal y pimienta, se tapa y se pone a fuego lento, se agrega un poco de agua para que se cuezan prácticamente en su jugo.

Acelgas con perejil

☐ 4 tazas de acelgas limpias y picadas
☐ Un pedazo de cebolla finamente picada
☐ 2 cucharas de mantequilla
☐ Una rama de perejil finamente picado
☐ Sal y pimienta al gusto

Se acitrona la cebolla en la mantequilla, se le agregan las acelgas, el perejil, sal y pimienta, se tapa la cacerola y se cuece a fuego lento; se puede añadir dos cucharadas de salsa de soya.

Col morada

☐ Una col mediana (repollo morado) finamente picada
☐ Una cuchara de vinagre
☐ Sal y pimienta la necesaria

La col se pone a hervir en agua hirviendo con sal; ya que está cocida se escurre dejándole una poca de agua, se le rocía el vinagre, se sazona con sal y pimienta, se tapa y se pone a fuego lento durante 10 minutos, se sirve caliente.

Betabeles a la mantequilla

- ☐ 10 betabeles, lavados, cocidos, pelados y cortados en cuadritos
- ☐ Una cucharada de mantequilla
- ☐ ¼ cucharada de azúcar
- ☐ Una cucharada de harina de trigo
- ☐ ¼ taza de vinagre
- ☐ Sal la necesaria

En una sartén se pone al fuego con la mantequilla, ya que está derretida se le agrega la harina sin dejar de mover, agregándole el vinagre, el agua (1½ taza) azúcar y sal, se deja sazonar unos 10 minutos, moviendo continuamente para que no se formen grumos, se vierten los betabeles, se dejan hervir a fuego durante unos 20 minutos.

Betabeles con crema

- ☐ 6 betabeles, lavados, cocidos, pelados y rebanados
- ☐ ½ taza de azúcar granulada
- ☐ ½ cucharadita de sal
- ☐ 2 cucharadas de crema fresca
- ☐ ½ cucharadita de fécula de maíz
- ☐ 2 cucharadas de vinagre
- ☐ 2 cucharadas de mantequilla

Se cierne el azúcar con la fécula de maíz y sal, enseguida se agrega el vinagre y la mantequilla diluida. Esta salsa se vierte encima de los betabeles y se ponen a baño María, moviéndolos con todo cuidado, dejándolos hervir hasta que la fécula de maíz este cocida, de 40 a 45 minutos. Al servirlos se les añade la crema batida. Se sirven muy calientes.

Camote al horno

- ☐ 8 camotes blancos
- ☐ Mantequilla, la necesaria
- ☐ Azúcar la necesaria

Los camotes se lavan, se cuecen en poca agua; cuando estén suaves se escurren y aplastan un poco, se les hace una abertura en el centro y se rellenan de mantequilla; se acomodan en un molde y se meten a horno (350°) hasta que estén dorados, al momento de servirse se pelan, se sirven con mantequilla y azúcar.

Camotes con naranjas

- ☐ Un kilo de camote blanco o amarillo
- ☐ Una taza de miel de colmena
- ☐ 3 naranjas grandes (jugo)

Los camotes se ponen a cocer, ya que están suaves se pelan, se muelen, se les agrega la miel y el jugo de naranja. Se meten a horno caliente en un refractario a 350° hasta que estén dorados.

Coliflor con crema

- ☐ Una coliflor mediana
- ☐ 2 aguacates grandes pelados
- ☐ ½ taza de crema
- ☐ 100 gramos de queso Chihuahua rallado
- ☐ Unas gotas de limón
- ☐ Sal y pimienta al gusto

La coliflor se lava, se cuece con agua hirviendo y sal, cuando está cocida se escurre, se acomoda en un platón. El aguacate se pela y se le ponen unas gotas de limón para que no se obscurezca, luego se muele con el queso y la crema, se sazona con sal y pimienta, con esto se baña la coliflor que estará fría.

Coliflor con mantequilla

- ☐ Una coliflor mediana en pedazos
- ☐ 2 cucharadas de cebolla finamente picada
- ☐ 2 cucharadas de perejil finamente picado
- ☐ 3 cucharadas de mantequilla
- ☐ Sal y pimienta al gusto

La coliflor se pone a cocer con sal, se escurre, se pone en una sartén con el resto de los ingredientes, se tapa y se deja unos 20 minutos, si se desea se le puede agregar un poco de queso.

Coliflor con queso

- [ ] Una coliflor mediana cocida en pedacitos
- [ ] 100 gramos de queso Chihuahua rallado
- [ ] 2 cucharadas de harina de trigo
- [ ] 4 cucharadas de mantequilla
- [ ] 2 tazas de leche
- [ ] Sal y pimienta, la necesaria

Se escurre la coliflor en un refractario previamente engrasado con mantequilla, se espolvorea con el queso y se cubre con la salsa.

Salsa:

En una cacerola se pone la mantequilla a derretir, se dora la harina; ya que esté de color oro, se le va agregando poco a poco la leche, se sazona con sal y pimienta; no debe dejar de mover, se deja hervir a fuego lento hasta que espesa, con esta salsa se cubre la coliflor y se mete a horno caliente a 350° a que dore.

Tortas de coliflor

- [ ] Una coliflor mediana en ramitas, cocida
- [ ] ½ queso fresco rebanado
- [ ] Un diente de ajo molido
- [ ] 3 huevos
- [ ] 5 jitomates grandes molidos
- [ ] Una rama de perejil
- [ ] 3 cucharadas de harina de trigo

☐ Un pedazo de cebolla molida
☐ Aceite, pimienta y sal la necesaria

Se toman dos pedazos de coliflor y en medio se les pone una rebanada de queso, se aprieta con la mano para que quede todo unido, luego se pasa la tortita por la harina, después por el huevo que estará batido a punto de turrón, y se fríe en el aceite dejándose dorar de los dos lados.

En una sartén se fríe el jitomate, cebolla y ajo licuados, se sazona con la sal y pimienta y se le pone una ramita de perejil, se deja hervir unos 5 minutos, se acomodan las tortitas y que hierva unos 15 minutos.

Chícharos al perejil

☐ Un kilo de chícharos frescos pelados
☐ 3 cebollas finamente picadas
☐ ½ cucharadita de azúcar
☐ 2 cucharadas de mantequilla
☐ Una ramita de perejil
☐ Una ramita de tomillo y laurel
☐ Sal y pimienta al gusto

En una sartén se sofríen los chícharos con la mantequilla, después se le agrega el resto de los ingredientes, se deja sazonar; cuando estén sofritos se le añade un vaso con agua, se tapan y se cuecen a fuego lento, si es necesario se le pone más agua.

Chícharos a la mantequilla

☐ Un kilo de chícharos frescos pelados
☐ Un manojo de perejil finamente picado
☐ 4 cucharadas de mantequilla
☐ 2 pimientos morrones en trozos
☐ 2 cucharadas de cebolla finamente picada
☐ sal y pimienta, la necesaria

Los chícharos se cuecen en agua hirviendo con sal, cuando estén cocidos se escurren. Se sofríe la cebolla en la mantequilla, se le pone el pimiento morrón, perejil a que se sofría, se le agrega el chícharo, sal y pimienta, se tapa la cacerola y se mueve continuamente hasta que se impregne.

Chícharos en su jugo

☐ Un kilo de chícharos tiernitos y pelados
☐ ½ taza de crema fresca
☐ 2 cucharadas de perejil finamente picado
☐ 2 cucharadas de cebolla finamente picada
☐ 2 cucharadas de mantequilla
☐ Una hoja de laurel y tomillo
☐ Sal y pimienta al gusto

En una sartén se diluye la mantequilla y se acitronan los chícharos con la cebolla, ya que está transparente se le agrega el tomillo, laurel, perejil, pimienta, sal y agua a cubrir; se dejan hervir a fuego suave hasta que los chícharos estén cocidos, se les pone la crema y se dejan hervir otros 10 minutos para que sazonen.

Espinacas con crema

- ☐ Un kilo de espinacas limpias y picadas
- ☐ 100 gramos de mantequilla
- ☐ Una taza de crema fresca
- ☐ Sal y pimienta, la necesaria

Las espinacas se ponen a hervir con sal; ya que están cocidas se escurren. En una sartén se diluye la mantequilla, se fríen las espinacas sazonándose con la sal y pimienta; ya para servirse se mezclan con la crema; se sirven muy calientes.

Espinacas con queso

- ☐ Un kilo de espinacas picadas
- ☐ ½ taza de leche
- ☐ 200 gramos de queso panela rallado
- ☐ 4 cucharadas de mantequilla
- ☐ 2 huevos
- ☐ Sal y pimienta, la necesaria

Las espinacas se ponen a cocer en agua hirviendo con sal, cuando estén cocidas se escurren, se revuelven con los huevos batidos, queso y la leche, la mantequilla derretida tibia, sal y pimienta. Se vacían a un refractario y se les pone encima un poco más de queso y pedazos de mantequilla, se meten a horno caliente 350° nada más a que la mantequilla se derrita.

Frijoles con chile ancho

☐ ½ kilo de frijol canario
☐ Un diente de ajo
☐ 2 chiles anchos
☐ 2 cucharadas de aceite de oliva
☐ 2 jitomates picados
☐ Un pedazo de cebolla
☐ Sal la necesaria

Se limpian los frijoles, se ponen a cocer con el ajo, cebolla, sal y el jitomate, se dejan hervir a fuego lento hasta que estén cocidos y espesos, agregándoles el agua que sea necesaria pero siempre caliente. Ya casi cocidos se le agrega el chile tostado, desvenado, remojado, molido y colado, dejándose hervir una media hora más, pero ya sin agregar nada de agua para que espesen. Se sirven calientes y deben quedar caldosos.

Frijoles con diversos chiles

☐ ½ kilo de frijol canario limpio
☐ 2 chiles anchos
☐ Un chile mulato
☐ Un chile pasilla
☐ Un diente de ajo
☐ 2 cucharadas de aceite de oliva

- ☐ Un pedazo de cebolla
- ☐ Sal, la necesaria

Un día antes se ponen a remojar los frijoles en agua, al día siguiente se ponen a cocer con el agua donde se remojaron, sal, cebolla y ajo. Se dejan hervir a fuego lento hasta que estén cocidos. Los chiles se tuestan, se remojan en agua caliente, se muelen y se cuelan; se fríen en el aceite sazonándose con sal; cuando están bien sazonados se vacían los frijoles y se dejan otra hora hasta que el caldo se consuma y quede una salsa bien espesa.

Frijoles negros

- ☐ ½ kilo de frijoles limpios
- ☐ ½ taza de queso fresco, desmoronado
- ☐ 2 tortillas
- ☐ Un pedazo de cebolla
- ☐ Aceite para freír
- ☐ Sal al gusto

Los frijoles se ponen a remojar en agua el día anterior. Se cuecen en la misma agua con cebolla y sal. Ya que están cocidos se licúan. En una sartén se calienta el aceite, se le añaden los frijoles para que se refrían y se sequen completamente, se vacían en un platón, se adornan con el queso y las tortillas partidas en pedazos y fritas en aceite.

Frijoles negros con epazote

- ☐ ½ kilo de frijoles negros, limpios
- ☐ 4 cucharadas de aceite
- ☐ Un pedazo de cebolla
- ☐ Un ramo de epazote fresco
- ☐ Sal al gusto

Los frijoles ya lavados se ponen a remojar. Se cuecen con la misma agua con que se remojaron, se agrega la cebolla, aceite, epazote y la sal, se tapan y se cuecen a fuego lento.

Garbanzo con mantequilla

- ☐ 2 tazas de garbanzo cocidos
- ☐ 6 cucharadas de mantequilla
- ☐ Sal y pimienta al gusto

En una sartén se diluye la mantequilla, se vacían los garbanzos, sal y pimienta, se dejan hervir un rato para que sazonen.

Garbanzo con aceite de oliva

- ☐ ¼ kilo de garbanzo cocido
- ☐ ½ cebolla finamente picada
- ☐ 3 cucharadas de aceite de oliva
- ☐ Una cucharada de pan molido
- ☐ Sal y pimienta, la necesaria

En una cacerola se acitrona la cebolla con el aceite, se le añade el pan moviendo rápidamente para que no se queme. Se agregan los garbanzos, se sazonan con sal y pimienta y se dejan hervir a fuego suave para que se sazone.

Puré de garbanzos

- ☐ ½ kilo de garbanzos cocidos
- ☐ 2 tazas de leche evaporada
- ☐ 200 gramos de mantequilla
- ☐ Sal y pimienta la necesaria

Cuando estén cocidos los garbanzos se muelen. Se pone una cacerola al fuego, se agregan los garbanzos, la mantequilla, la leche, sal y pimienta, se ponen a fuego lento y se mueve continuamente a que sazone.

Habas con perejil

- ☐ Un kilo de habas verdes, tiernitas
- ☐ 4 cucharadas de mantequilla
- ☐ 2 cucharadas de perejil finamente picado
- ☐ 2 cucharadas de cebolla finamente picada
- ☐ Una cucharada de harina de trigo
- ☐ 2 dientes de ajo picado
- ☐ Sal y pimienta, al gusto

En una cacerola se pone la mantequilla a derretir, se acitrona la cebolla, después se dora la harina y se agregan las habas, y ya que estén transparentes se le agrega el ajo, sal, pimienta y agua. Se tapan y se dejan hervir hasta que las habas estén cocidas.

Habas verdes

- ☐ Un kilo de habas verdes, tiernas y peladas
- ☐ Un pedazo de cebolla finamente picado
- ☐ 2 cucharadas de mantequilla
- ☐ Una taza de crema
- ☐ Un manojo chico de perejil finamente picado
- ☐ Una taza de agua
- ☐ Una taza de leche
- ☐ Sal y pimienta, al gusto

En una sartén se diluye la mantequilla, se acitrona la cebolla, se agregan las habas, se dejan freír hasta que estén transparentes, se añade el ajo, agua y leche, se sazonan con sal y pimienta, se tapan y se dejan cocer a fuego suave.

Habas en salsa verde

- ☐ Un kilo de habas, tiernitas y peladas
- ☐ Un kilo de tomate
- ☐ 200 gramos de crema
- ☐ Un diente de ajo
- ☐ Un ramito de cilantro picado
- ☐ Aceite y sal al gusto

Se fríe el haba en el aceite, se deja en la lumbre a que se sancoche un poco. Se licúa el tomate, cebolla, ajo, cilantro y sal, se le agrega esta salsa a las habas, se le echa

un poco de agua, tape la sartén y que se cueza el haba a
fuego lento.

Habas con pimiento morrón

☐ Un kilo de habas frescas tiernas y peladas
☐ ½ kilo de pimiento morrón verde
en cuadritos
☐ 3 cucharadas de mantequilla
☐ Un poco de comino en polvo
☐ Sal y pimienta al gusto

Se acitrona la cebolla en la mantequilla, se agregan las
habas y pimientos a acitronar, cuando estén transparentes, se añade la sal, pimienta y comino, se le pone un poco
de agua fría, se tapa la cacerola y que se cueza el haba a
fuego lento.

Jitomates con queso

☐ 6 jitomates grandes cortados en
rebanadas gruesas
☐ Una cucharada de aceite de oliva
☐ Una cucharada de perejil finamente picado
☐ Un diente de ajo picado
☐ Una cucharada de mantequilla
☐ Pan molido, el necesario para espolvorear
☐ Sal y pimienta, al gusto

En un refractario untado de mantequilla se acomodan las rebanadas de jitomate, se espolvorean con sal, pimienta, ajo, luego se rocían con el aceite, por último se espolvorean con el pan y se les ponen trocitos de mantequilla. Se meten a horno mediano a 250° nada más a que se doren un poco y gratinen.

Jitomates con hongos

- ☐ 6 jitomates grandes y redondos
- ☐ 2 cucharadas de perejil finamente picado
- ☐ Un pedazo de cebolla finamente picado
- ☐ 50 gramos de queso Chihuahua rallado
- ☐ 4 cucharadas de aceite de oliva
- ☐ ½ kilo de hongos, lavados y cocidos
- ☐ Pan molido, el necesario para espolvorear
- ☐ Sal y pimienta, la necesaria.

En un refractario engrasado con mantequilla se colocan los jitomates partidos, enseguida los champiñones y el resto de los ingredientes; se sazonan con sal y pimienta y se cocinan con el aceite, al último se le pone el pan molido. Se mete a horno a 350° para que se cuezan y doren un poco.

Jitomates rellenos de queso

- ☐ 7 jitomates redondos
- ☐ 100 gramos de queso Chihuahua rallado
- ☐ Un pedazo de cebolla finamente picada
- ☐ Una ramita de perejil finamente picada

- ☐ Un diente de ajo molido
- ☐ 2 huevos
- ☐ Una cucharada de pan molido
- ☐ Mantequilla, pimienta y sal al gusto

Los jitomates se pelan poniéndolos 2 minutos en agua hirviendo. Se les hace un orificio en la parte superior, se les saca la pulpa y las semillas con todo cuidado y se acomodan en un refractario previamente engrasado con mantequilla. En un sartén se pone una cucharada de mantequilla y se acitrona la cebolla, después se le agrega la pulpa de los jitomates, teniendo cuidado de quitarle las semillas; se sazona con sal, pimienta y ajo, al final se le añade el perejil, se deja que se sazone y que quede una pasta espesa, se retira de la lumbre y se le agregan los huevos revolviéndole todo muy bien, con esta pasta se rellenan los jitomates y se cubren con el queso y un poco de pan rallado; se le pone un poco de mantequilla a cada jitomate se hornea a 250° nada más a que doren.

Jitomates con crema

- ☐ 6 jitomates grandes en rebanadas gruesas
- ☐ ½ taza de queso Chihuahua rallado
- ☐ Una taza de crema fresca
- ☐ Mantequilla, sal y pimienta al gusto

Los jitomates se colocan en un refractario engrasado con la mantequilla, se cubren con sal, pimienta y la crema, se espolvorean con el queso y encima se le ponen trocitos de mantequilla; se meten calientes a 350° para gratinar.

Nabos en su jugo

☐ Un kilo de nabos tiernos, lavados,
  pelados y partidos en rodajas
☐ Una cebolla grande finamente picada
☐ 3 tazas de agua
☐ Una cucharada de harina de trigo
☐ 3 cucharadas de mantequilla
☐ Un ramo de perejil finamente picado
☐ Una cucharada de salsa de soya
☐ Sal y pimienta al gusto

En una sartén se diluye la mantequilla, se acitrona la cebolla, se agregan los nabos, ya que están transparentes se les añade la harina a que dore un poco, enseguida el agua, sal y pimienta. Se tapan, se dejan a fuego lento hasta que estén cocidos, al final se les pone la salsa de soya, se adornan con el perejil picado.

Nabos con perejil

☐ Un kilo de nabos, lavados, pelados
  y partidos en rodajas
☐ Un manojo de perejil finamente picado
☐ Una cebolla finamente picada
☐ 50 gramos de mantequilla
☐ 2 tazas de agua
☐ Sal y pimienta la necesaria

En una sartén se diluye la mantequilla, se acitrona la cebolla, se agregan los ingredientes, se tapa y se dejan cocer a fuego muy suave.

Nabos a la mantequilla

- ☐ Un kilo de nabos tiernos, lavados, pelados y partidos en rodaja
- ☐ ¼ de kilo de papa chiquita
- ☐ 3 cucharadas de queso Chihuahua rallado
- ☐ Una ramita de perejil finamente picado
- ☐ Mantequilla, sal y pimienta la necesaria

Se derrite la mantequilla, se agregan los nabos a que se sancochen, cuando están transparentes se les añaden 2 vasos con agua, sal y pimienta y se dejan hervir a fuego suave. Cuando están medio cocidos se les ponen las papas cocidas, peladas y en trozos, se tapa a que se cueza todo perfectamente.

Nopalitos con papas

- ☐ 10 nopales limpios, cocidos y picados
- ☐ 3 papas cortadas en cuadritos, peladas y cocidas
- ☐ Un pedazo de cebolla finamente picada
- ☐ 3 cucharadas de aceite de oliva
- ☐ Un poco de orégano
- ☐ Sal la necesaria

Se pone una sartén con el aceite, se sofríe la cebolla, se le agregan los nopales, papas, orégano y sal, se tapa la sartén para que se cocinen.

Papas con queso

- ☐ ½ kilo de papas rebanadas
- ☐ 2 tazas de crema fresca
- ☐ 100 gramos de mantequilla
- ☐ Aceite el necesario para freír
- ☐ Sal y pimienta al gusto

Se fríen un poco las papas en la mitad del aceite y mantequilla, el ajo molido, sal y pimienta deben acitronarse sin dorar. En un refractario engrasado con mantequilla se acomodan las papas y se cubren con la crema, deben quedar bien cubiertas, se les ponen encima trocitos de mantequilla; se meten a horno caliente a 350° hasta que estén cocidas y doradas.

Papas en salsa mostaza

- ☐ Un kilo de papas cocidas y cortada en cuadritos
- ☐ Una rama de perejil finamente picado
- ☐ Una cebolla chica finamente picada
- ☐ Una cucharada de mostaza
- ☐ Un vaso de agua
- ☐ 50 gramos de mantequilla
- ☐ 2 huevos
- ☐ Pimienta y sal al gusto

Se acitrona la cebolla con la mantequilla, se agregan las papas a sofreír, en el vaso de agua se diluye el huevo, mostaza, pimienta y sal, esta mezcla se le añade a las papas a que espese y se impregnen; se apaga y se pone el perejil.

Papas con queso

- ☐ Un kilo de papas cocidas, peladas y rebanadas en rodajas grandes
- ☐ 100 gramos de queso Chihuahua rallado
- ☐ 3 huevos crudos
- ☐ Una taza de harina de trigo
- ☐ Un manojo chico de perejil finamente picado
- ☐ Aceite, sal y pimienta el necesario

Se baten los huevos, en un plato extendido se pone la harina y en otro el queso. En una sartén se calienta el aceite, las rodajas de papa se pasan primero por la harina, después por el huevo batido, luego por el queso y otra vez por el huevo, se fríen en el aceite a fuego muy lento para que se doren de los dos lados.

Papas con perejil

- ☐ Un kilo de papa pelada y cortada en rodajas delgadas
- ☐ 5 huevos crudos
- ☐ 100 gramos de queso Chihuahua rallado
- ☐ 50 gramos de mantequilla
- ☐ 2 tazas de leche evaporada

- ☐ Un manojo chico de perejil finamente picado, para adornar
- ☐ Sal y pimienta al gusto

Se engrasa con la mantequilla un refractario, se pone una capa de papas, éstas se espolvorean con sal, pimienta, queso y se baña con los huevos batidos y revueltos con la leche, después se pone otra capa de papas y así sucesivamente hasta terminar con papas cubiertas de leche, se le ponen trocitos de mantequilla encima, se mete a horno caliente 350° hasta que las papas estén cocidas.

Papas al horno

- ☐ Un kilo de papas medianas peladas, rebanadas en ruedas delgaditas
- ☐ Un kilo de jitomate licuado
- ☐ Una cebolla finamente picada
- ☐ Un manojo chico de perejil picado
- ☐ 100 gramos de queso Chihuahua rallado
- ☐ 3 cucharadas de pan molido
- ☐ 3 cucharadas de mantequilla
- ☐ Sal y pimienta al gusto

Se engrasa un refractario con mantequilla, se pone una capa de papa, se espolvorea con sal, pimienta, perejil y cebolla, se cubre con salsa de jitomate, trocitos de mantequilla y así sucesivamente hasta terminar con la salsa, se espolvorean con el pan y el queso, se le pone el resto de la mantequilla y se mete a horno caliente (350°) hasta que las papas estén cocidas, si se doran mucho y no están cocidas éstas, se puede cubrir el molde con papel estaño para que no se sigan dorando.

Papas con chile pasilla

☐ Un kilo de papas cocidas peladas y partidas
☐ 3 ó 4 chiles pasilla asados, cocidos y licuados con ajo y cebolla
☐ Aceite, el necesario
☐ Sal al gusto

En una sartén con aceite se sofríe la papa y se le agrega el chile a sazonar.

Papas con jitomate

☐ Un kilo de papas cocidas, peladas y partidas
☐ 3 ó 4 jitomates picados
☐ Una cebolla chica finamente picada
☐ Aceite el necesario
☐ Sal al gusto

Se acitrona la cebolla en el aceite, se agrega el jitomate a sazonar, después las papas, sal y un poco de agua para que se sazone.

Tortas de papa

- ☐ 2 papas crudas peladas y ralladas anchas
- ☐ Un manojo mediano de perejil lavado y picado finamente
- ☐ Una cebolla grande picada finamente
- ☐ 3 huevos
- ☐ Sal y pimienta al gusto
- ☐ Aceite el necesario

Se pone una sartén de teflón en la lumbre con un poco de aceite, todos los ingredientes se revuelven muy bien; cuando el aceite esté bien caliente se vacía a la sartén, se cuece de un lado y cuando esté dorado se voltea del otro; su cocimiento debe ser a fuego lento.

Verdolagas en chile verde

- ☐ Un kilo de verdolagas
- ☐ Un diente de ajo
- ☐ ½ kilo de tomates verdes
- ☐ Un ramito de cilantro
- ☐ Un chile poblano
- ☐ Aceite, el necesario
- ☐ Sal y pimienta, al gusto

Las verdolagas se ponen en agua hirviendo con sal, cuando estén cocidas se escurren, se licúa el tomate, cilantro, chile poblano, sal y pimienta, se sofríe en el aceite, cuando esté hirviendo se le agrega la verdolaga con un poco de agua a que se sazone.

Verdolagas con jitomate

☐ Un kilo de verdolagas
☐ Un pedazo de cebolla finamente picada
☐ 2 jitomates pelados y finamente picados
☐ Un chile serrano
☐ Sal y pimienta, al gusto

En una cazuela se pone el aceite, en la lumbre se le agregan las verdolagas y la cebolla a que se sofrían, después el jitomate con sal y pimienta, se tapan y se dejan cocer a fuego lento hasta que estén bien cocidas; deben quedar con una poquita de salsa.

Mole rojo

☐ Una cucharada de ajonjolí tostado sin grasa
☐ ½ taza de almendras tostadas fritas en aceite
☐ ¼ taza de pasitas
☐ 4 chiles anchos
☐ 3 chiles pasilla
☐ 2 chiles mulatos
☐ Un jitomate grande, asado, pelado
☐ 2 pimientas gordas
☐ Una tablilla de chocolate amargo
☐ Un pedazo de cebolla
☐ Un pedazo de tortilla frita en aceite
☐ Un pedazo de pan frito en aceite
☐ Una rajita de canela
☐ Un poco de cominos

- ☐ Un diente de ajo
- ☐ Sal al gusto

Los chiles se desvenan, tuestan y remojan en agua caliente. El ajonjolí se tuesta en una sartén sin grasa, agitándolo rápidamente para que no se queme, el chocolate se parte en pedacitos para que se pueda moler. Se muelen todos los ingredientes en la licuadora con un poco de caldo y con un poco de agua en donde se remojaron los chiles. En una cazuela se pone suficiente aceite y se fríe el chile con todos sus ingredientes, se cuece a fuego lento. Se sirve acompañado de arroz.

Mole verde

- ☐ ½ kilo de tomates verdes
- ☐ Una cebolla partida en dos
- ☐ 4 hojas de lechuga
- ☐ 4 chiles serranos verdes
- ☐ 6 hojas de rábano
- ☐ 100 gramos de pepita de calabaza verde molida
- ☐ 2 dientes de ajo
- ☐ Una rama de perejil
- ☐ Aceite, el necesario
- ☐ Sal al gusto

Se ponen a hervir los tomates con los chiles; se muelen en la licuadora con cebolla, ajo, lechuga y las hojas de los rábanos. En una sartén se coloca el aceite en la lumbre y cuando está muy caliente se fríe la pepita moviéndola continuamente para que no se pegue. Ya bien refrita se le agrega el tomate molido sin colar, se sazona con la sal y si está demasiado espesa esta salsa se le agrega un poco de caldo, se deja hervir a un fuego lento durante unos 25 minutos, que quede una salsa espesa. Se sirve acompañado de tortillas de maíz y arroz.

Mole de olla

- ☐ 4 calabacitas tiernas partidas en cuatro
- ☐ 2 chayotes tiernos, pelados, cocidos y partidos en cuartos
- ☐ 5 zanahorias peladas y partidas en mitades
- ☐ 14 ejotes pelados enteros
- ☐ 3 elotes tiernos partidos en trozos
- ☐ 3 chiles mulatos, tostados, desvenados y remojados en agua y licuados
- ☐ Un diente de ajo
- ☐ Un pedazo de cebolla
- ☐ Una rama de cilantro
- ☐ Sal al gusto

Se ponen a cocer en la lumbre con una poca de agua, las zanahorias, ejotes, cilantro, elotes, cebolla, ajo, cuando están medio cocidas se le agrega la calabaza, chayote, los chiles y sal, se dejan hervir hasta que todo este cocido y quede caldoso.

Verduras con crema

- ☐ 3 papas cocidas, peladas y partidas
- ☐ 6 zanahorias, cocidas y partidas en rodajas
- ☐ Una taza de chícharos cocidos
- ☐ 200 gramos de crema
- ☐ Aceite para freír
- ☐ Sal, al gusto

Se acitrona la cebolla, se le agregan las verduras y sal a sofreír, se sirve con crema.

Tortas de papa

- ☐ Un kilo de papas cocidas, peladas y machacadas
- ☐ 2 huevos
- ☐ ¼ kilo de queso rallado
- ☐ Pan molido para unir
- ☐ Sal, pimienta y canela al gusto
- ☐ Aceite para freír

Se revuelven todos los ingredientes, se forman tortitas y se fríen en aceite caliente.

Antojitos

Antojitos

Chalupas con queso

- ☐ 7 chalupitas de maíz
- ☐ 3 jitomates
- ☐ 250 gramos de queso fresco rallado
- ☐ Una taza de lechuga finamente picada
- ☐ Un diente de ajo
- ☐ 3 rabanitos partidos en rodajitas
- ☐ Un pedazo de cebolla
- ☐ Un ramito de cilantro
- ☐ Sal al gusto
- ☐ Aceite para freír

Se asa el jitomate, se pela y se licua con el ajo, cebolla, cilantro y sal. En una cacerola se pone a calentar el aceite. Las chalupitas se ponen en una plancha caliente que estará en la lumbre mientras se preparan. Se les pone primero una poquita de lechuga, después el queso, los rabanitos, la salsa y por último el aceite muy caliente. Se sirve al instante en que se preparan.

Chalupas en jitomate

- ☐ 7 chalupitas de maíz
- ☐ 3 jitomates asados y pelados
- ☐ 250 gramos de queso fresco rallado
- ☐ Un diente de ajo
- ☐ 3 chiles serranos
- ☐ Un pedazo de cebolla
- ☐ Un ramito de cilantro

☐ Sal al gusto
☐ Aceite para freír

El jitomate se muele con la cebolla, ajo, chiles, cilantro y sal. Las chalupitas se fríen en el aceite caliente y se les añade bastante salsa, se les pone encima el queso y si desea le puede agregar crema fresca.

Chalupitas con frijoles

☐ 7 chalupitas de maíz
☐ ½ taza de lechuga finamente picada
☐ Una taza de frijoles negros cocidos
☐ 200 gramos de queso fresco rallado
☐ 3 jitomates asados y pelados
☐ Un pedazo de cebolla finamente picada
☐ Un diente de ajo
☐ Un pedazo de cebolla
☐ Un ramito de perejil
☐ Sal al gusto
☐ Aceite para freír

Los frijoles se muelen y se fríen en aceite, que no queden muy secos. El jitomate se licua con la cebolla, ajo, perejil y sal, las chalupitas se pasan por el aceite caliente para que se frían ligeramente, se le untan los frijoles, lechuga, queso y la salsa.

Chilaquiles con mole

- ☐ 10 tortillas de maíz cortadas en cuadritos
- ☐ Un pedazo de cebolla finamente picada
- ☐ 200 gramos de queso fresco rallado
- ☐ 4 chiles anchos
- ☐ Un diente de ajo
- ☐ 2 jitomates
- ☐ Aceite para freír
- ☐ Sal al gusto

Los chiles se desvenan, se tuestan y se remojan en agua caliente, se licuan con el ajo, jitomate y sal. Las tortillas se fríen en aceite a que doren, se le agrega la salsa a que se suavicen las tortillas y quede una salsa espesa, al servirse se le pone el queso y la cebolla.

Chilaquiles con crema

- ☐ 10 tortillas de maíz cortadas en cuadritos
- ☐ 100 gramos de queso fresco rallado
- ☐ ¼ kilo de tomates verdes
- ☐ Un ramo de cilantro
- ☐ Un pedazo de cebolla finamente picada
- ☐ 3 chiles verdes serranos
- ☐ Un diente de ajo
- ☐ Un pedazo de cebolla
- ☐ Aceite para freír
- ☐ Sal al gusto
- ☐ Crema al gusto

Los tomates se pelan y se hierven con los chiles; cuando ya están cocidos se licuan con el ajo, un pedazo de cebolla, cilantro y sal, las tortillas se doran en el aceite, se le agrega la salsa a que se suavicen las tortillas y quede una salsa espesa, al final se le agrega el queso y crema.

Chilaquiles en salsa pasilla

- ☐ 10 tortillas de maíz cortadas en cuadritos
- ☐ 100 gramos de queso fresco rallado
- ☐ 3 jitomates asados
- ☐ 3 chiles pasilla, asados y desvenados
- ☐ Un pedazo de cebolla
- ☐ Un diente de ajo
- ☐ Aceite, el necesario
- ☐ Sal al gusto

Los chiles, jitomate, cebolla, ajo y sal se licuan. Las tortillas se fríen en el aceite a que doren, se le agrega la salsa a que se cocinen y al final se le añade el queso.

Chiles en nogada

- ☐ 12 chiles poblanos grandes
- ☐ 50 gramos de almendras tostadas y picadas
- ☐ 250 gramos de queso fresco rallado
- ☐ 50 gramos de pasitas
- ☐ 5 huevos frescos
- ☐ 2 granadas rojas desgranadas
- ☐ 50 nueces de castilla, frescas, peladas y molidas

- [ ] 250 gramos de crema fresca
- [ ] 250 gramos de queso Chihuahua rallado
- [ ] Un diente de ajo
- [ ] Un plátano macho muy maduro
- [ ] Un ramito de perejil finamente picado
- [ ] Un pedazo de cebolla finamente picada
- [ ] Aceite para freír
- [ ] Sal y pimienta, al gusto

Se asan, desvenan y pelan los chiles, se les abre un pequeño orificio de un lado procurando no romperlos mucho para poderlos rellenar. En una sartén se pone un poco de aceite y se acitrona la cebolla, ajo, se le añade el plátano finamente picado, las pasas, almendras, perejil, pimienta y sal, se fríe todo y ya que está bien sazonado, se le agrega el queso rallado; se revuelve muy bien y con esta mezcla se rellenan los chiles. Se baten las claras a punto de turrón y cuando ya esta muy batido se agregan las yemas del huevo y sal a que se incorpore muy bien. Los chiles se pasan por la harina, se meten al huevo a que queden bien cubiertos, se fríen en el aceite bien caliente, a fuego lento para que se doren muy bien. Se acomodan en un platón y al momento de servir se agrega la salsa fría.

Salsa:

Las nueces se pelan y se van poniendo en agua fría para que no se pongan negras, luego se muelen las nueces con el queso Chihuahua, crema y se sazona con salsa y pimienta, debe quedar una salsa muy espesa. Con ésta se cubren los chiles, se espolvorean con los granitos de la granada pelada y una ramitas de perejil. Ya con la salsa no se pueden volver a calentar; se pueden servir fríos o calientes.

Enchiladas de crema

- ☐ 3 chiles anchos grandes, tostados, desvenados y remojados en agua caliente
- ☐ Una cebolla chica
- ☐ 100 gramos de queso Chihuahua rallado
- ☐ Una lechuga
- ☐ 250 gramos de crema
- ☐ Un diente de ajo
- ☐ Un huevo
- ☐ Una cebolla
- ☐ 20 rábanos
- ☐ 20 tortillas
- ☐ Aceite, el necesario
- ☐ Sal al gusto

Se licuan los chiles con la cebolla, ajo y sal, esto se agrega a la crema y huevo sazonándolo con pimienta. En una sartén se pone aceite a calentar, se pasan las tortillas. En otra sartén se pone otro poco de aceite y se sofríen los chiles y ahí se van poniendo las tortillas; se doblan como quesadillas poniéndoles un poco de queso, se acomodan en un platón bañándose con la salsa sobrante, queso, rabanitos, hoja de lechuga y rebanadas de cebolla que se habrá puesto a desflemar.

Enchiladas al horno

☐ 12 tortillas chicas
☐ 150 gramos de queso Chihuahua
en rebanadas delgadas
☐ Una taza de crema fresca
☐ Queso fresco rallado el necesario
☐ ¼ kilo de tomates verdes pelados
☐ Un ramito de cilantro
☐ 3 chiles serranos
☐ Una taza de caldo de verduras
☐ Una cucharada de mantequilla
☐ Un pedazo de cebolla
☐ Un diente de ajo
☐ Sal al gusto

Los tomates se ponen a cocer con los chiles, cuando estén cocidos, se licuan con la cebolla, ajo, cilantro y sal, se fríe esta salsa sin colar en un poco de aceite. En un molde refractario engrasado con mantequilla se acomodan las tortillas que estarán pasadas por el aceite caliente y rellenas con el queso fresco, luego se cubren con la salsa y encima se les ponen rebanadas de queso Chihuahua, la crema y por último los trocitos de mantequilla. Se meten a horno suave (250°) nada más a gratinar.

Enchiladas de flor de calabaza

☐ 18 tortillas chicas
☐ 250 gramos de crema fresca
☐ 6 chiles poblanos, asados,

□ pelados y desvenados
□ 2 manojos de flor de calabaza
□ Un elote tierno desgranado
□ Agua, la necesaria
□ Aceite para freír
□ Sal al gusto

Se limpian y lavan las flores, en una cacerola con aceite caliente se acitrona la cebolla, se agregan las flores, elote y sal, se tapa la sartén a que queden secas. Con esto se rellenan las tortillas, se envuelven, se prenden con un palillo y se fríen en aceite, se colocan en un platón y se bañan con la salsa.

Salsa:
Se licuan los chiles y se fríen en un poco de aceite y se sazona con sal, cuando estén sazonados se le añade la crema, se sirven calientes adornándolos con rabanitos.

Enchiladas de frijoles

□ ½ kilo de frijoles bayos cocidos y licuados
□ Un pedazo de cebolla
□ Una taza de queso fresco rallado
□ ¼ litro de crema
□ Aceite para freír
□ Sal, la necesaria

En una sartén con un poco de aceite se acitrona la cebolla, se le agregan los frijoles que estarán licuados y se dejan sazonar; debe quedar una salsa bastante espesa. Las tortillas se pasan por aceite caliente y luego se remojan en la salsa de frijoles, se sacan y se acomodan en un platón, doblándolas a la mitad, se cubren con poco más de salsa y se espolvorean con el queso y después se cubren con la crema. Se sirven muy calientes.

Enchiladas de jitomate

- ☐ 12 tortillas chicas
- ☐ 2 tazas de queso rallado
- ☐ 6 jitomates grandes asados
- ☐ 2 chiles serranos
- ☐ Un pedazo de cebolla
- ☐ Un diente de ajo
- ☐ Una rama de cilantro
- ☐ Aceite para freír
- ☐ Sal al gusto

Los jitomates se muelen con la cebolla, chiles, ajo, cilantro y sal, se fríe en un poco de aceite a sazonar, debe quedar una salsa espesa. Las tortillas se pasan por el aceite caliente y se bañan con la salsa que estará hirviendo, se sacan y se rellenan una a una con queso, se acomodan en un platón y se espolvorean con más queso.

Enchiladas de mole

- ☐ 20 tortillas chicas
- ☐ 300 gramos de queso fresco rallado
- ☐ 3 chiles anchos, desvenados
- ☐ Un chile mulato, desvenado

- [ ] Un chile pasilla, desvenado
- [ ] Una cucharada de ajonjolí tostado
- [ ] Un clavo
- [ ] 2 pimientas grandes
- [ ] Una rajita de canela
- [ ] Una cebolla finamente picada
- [ ] 200 gramos de queso Chihuahua rallado
- [ ] Un pedazo de cebolla
- [ ] Un diente de ajo
- [ ] Un pedazo de tortilla frita en aceite
- [ ] Un pedazo de pan frito en aceite
- [ ] Un pedazo chico de chocolate
- [ ] Sal la necesaria
- [ ] Caldo de verduras

Los chiles se remojan en agua caliente, el ajonjolí se tuesta; se fríen el pan y la tortilla y el chocolate se desmorona, enseguida se licuan todos los ingredientes, menos las tortillas, la cebolla picada y los quesos. Ya todo licuado se fríen en aceite bien caliente, se sazona con sal y se deja que se cocine un buen rato a que espese, se bañan las tortillas previamente pasadas por aceite caliente, se rellenan con el queso fresco, se acomodan en un platón espolvoreándose con el queso Chihuahua y la cebolla, se les pone más salsa, para que queden bien cubiertas.

Enchiladas con chile poblano

- [ ] 250 gramos de tomates verdes pelados
- [ ] Un chile poblano desvenado
- [ ] Un manojo pequeño de cilantro

☐ Un pedazo de cebolla finamente picado
☐ Un diente de ajo
☐ Aceite para freír
☐ Sal al gusto

Los tomates se ponen a cocer en una poca de agua; cuando ya están cocidos se sacan del agua y se licuan con un pedazo de cebolla, chile, ajo y cilantro, se fríe esta salsa en un poco de aceite y se sazona con sal, a que quede una salsa espesa. Las tortillas se pasan por aceite caliente; se bañan con esta salsa, se doblan a la mitad y se cubren con la cebolla picada. Se pueden adornar con hojas de lechuga y rabanitos.

Enchiladas tamaulipecas

☐ 20 tortillas
☐ 5 chiles anchos, desvenados y remojados
☐ 300 gramos de queso Chihuahua rallado
☐ 2 cebollitas
☐ Un diente de ajo
☐ Un clavo
☐ Aceite el necesario
☐ Sal al gusto

Los chiles se muelen con el ajo y las semillas de los chiles que se habrán tostado, se cuela y se fríe en aceite; se sazonan con el clavo, sal y pimienta, hasta que espese la salsa se van metiendo las tortillas. Se retira del fuego y se van colocando las tortillas dobladas en un platón que tendrá alrededor hojas de lechuga, se rellenan las tortillas con el queso, se doblan y se adornan con el resto del queso y la cebolla finamente picada. Se sirven calientes.

Enchiladas morelianas

- ☐ 20 tortillas
- ☐ Una taza de lechuga finamente picada
- ☐ Una cebolla chica finamente picada
- ☐ 3 chiles anchos, tostados, desvenados y remojados en agua caliente
- ☐ 2 chiles pasilla, tostados, desvenados y remojados en agua caliente
- ☐ Un diente de ajo
- ☐ Un pedazo de cebolla
- ☐ 2 jitomates asados
- ☐ 100 gramos de queso fresco rallado
- ☐ 2 papas cocidas, peladas y cortadas en cuadritos
- ☐ Una lechuga finamente picada
- ☐ Aceite, el necesario
- ☐ Sal al gusto

Los chiles, jitomate, ajo, cebolla y sal se muelen y se fríen en una sartén con aceite caliente a sazonar. En otra sartén con aceite se fríen las tortillas mojadas en el chile, ya bien fritas se sacan (deben hacerse de una en una) y se rellenan con un poco de papa, se doblan y se espolvorean con la lechuga, cebolla picada y queso.

Enchiladas mexicanas

- ☐ 10 tortillas de maíz
- ☐ ¼ kilo de frijoles bayo gordo cocidos
- ☐ ½ kilo de tomates verdes cocidos
- ☐ ½ taza de queso panela rallado
- ☐ 3 chiles serranos
- ☐ Una ramita de cilantro
- ☐ Un pedazo de cebolla
- ☐ Un diente de ajo
- ☐ Aceite para freír
- ☐ Sal al gusto

Los frijoles se muelen en la licuadora con su propio caldo y se cuelan, debe quedar bastante claro el caldo. Los tomates se muelen con los chiles, cebolla, ajo y cilantro, se fríe en aceite y se sazona con la sal. La tortilla de una en una se pasa primero por el caldo de frijoles y se fríe en el aceite caliente pero no debe dejarse dorar, se rellena con queso y se cubre con la salsa de jitomate y el resto del queso. Se sirven muy calientes y recién preparadas.

Enchiladas con verduras

- ☐ 20 tortillas
- ☐ 3 calabacitas tiernas, cocidas y partidas en rajas anchas
- ☐ 3 zanahorias peladas, cocidas y partidas en rodajas un poco gruesas
- ☐ Un pedazo de cebolla finamente picada

- [ ] 6 chiles anchos, tostados, desvenados y remojados en agua caliente
- [ ] Un diente de ajo
- [ ] Un pedacito de cebolla
- [ ] 4 papas cocidas, peladas y cortadas en cuadros medianos
- [ ] 100 gramos de queso fresco rallado
- [ ] Aceite el necesario
- [ ] Sal al gusto

Los chiles se muelen con el ajo, cebolla y sal. En una sartén con aceite caliente se fríen las verduras a que medio doren y se sazonan con sal. En otra sartén se pone aceite y ahí se van friendo las tortillas previamente bañadas con el chile; ya fritas se doblan y se van acomodando en un platón, se cubren con las verduras, la cebolla picada y el queso. Se pueden acompañar con frijoles negros.

Papadzul

- [ ] 8 huevos cocidos, pelados y picados
- [ ] Una cebolla finamente picada
- [ ] 4 jitomates grandes pelados y picados
- [ ] 2 chiles serranos
- [ ] Una taza de pepita de calabaza en pasta
- [ ] Una ramita de epazote
- [ ] Sal al gusto

Se cuecen los jitomates y se muelen con los chiles, epazote y sal. La pasta de pepita se deshace con una poca de agua a baño María, se sazona con la sal hasta que esté cocida.

En una cacerola con aceite se acitrona la cebolla, se le añade el jitomate molido y colado y la pasta de pepita cruda, se deja freír para que se sazone. Se conserva caliente esta salsa, las tortillas se pasan por aceite sin que se doren, se bañan en la salsa de pepita y se ponen en un plato, se les pone un poco de huevo picado y se enrollan en forma de taco, cubriéndose con la salsa de jitomate. Se sirven muy calientes y recién preparadas.

Quesadillas de flor de calabaza

- ☐ Un kilo de flor de calabaza lavada
- ☐ 3 jitomates pelados y picados
- ☐ Un chile verde serrano picado
- ☐ Un pedazo de cebolla finamente picada
- ☐ 2 cucharadas de aceite
- ☐ 250 gramos de queso panela rallado
- ☐ Una ramita de epazote
- ☐ Sal y pimienta, al gusto

Las flores se limpian de los pequeños tallitos verdes y se pican; en una cacerola con aceite se acitrona la cebolla, se agrega el epazote, el chile, la sal y los jitomates, se tapan y se deja sazonar, se le añade la flor a que se cueza a fuego lento sin agua; ya que están cocidas se les pone el queso y se retira del fuego. Aparte se prepara la masa y se hacen las tortillas chiquitas, se rellenan con un poco de flor y queso, doblándose y cocinándose en el comal, o si quiere se pueden freír en aceite caliente. Se sirven recién hechas.

Sopes con queso

- ☐ ½ kilo de masa de maíz
- ☐ Una cebolla finamente picada
- ☐ Un diente de ajo
- ☐ ¼ kilo de tomate verde pelado
- ☐ Unos chiles verdes serranos
- ☐ Una taza de queso Chihuahua desmoronado
- ☐ Sal, la necesaria

Los sopes se compran ya preparados o se hacen en la casa con la masa; ya que están cocidos se ponen sobre la plancha caliente y se les vierte una poquita de grasa hirviendo, luego la salsa preparada, la cebolla y el queso, se le puede poner un poco de crema.

Salsa:

Los tomates se cuecen con los chiles, cuando estén cocidos se licua con el cilantro, cebolla, ajo y sal.

Tamales de arroz

- ☐ ½ kilo de harina de arroz
- ☐ 200 gramos de mantequilla
- ☐ 200 gramos de azúcar
- ☐ 100 gramos de pasitas sin semilla
- ☐ 3 acitrones finamente picados
- ☐ 100 gramos de piñones pelados
- ☐ Una cucharadita de polvo para hornear
- ☐ Hojas de maíz para tamales, secas, las que se necesiten

La mantequilla se bate en la batidora hasta acremarse, se le añade el harina, y el polvo para hornear con una poca de agua ligeramente tibia y sin dejar de batir. Se conocerá que ya está bien batida, cuando en un vaso con agua fría se ponga una bolita de masa, se suba y ya no se quede en el fondo, entonces se le agregará el azúcar poco a poco y siempre batiendo.

Las hojas se ponen a remojar en agua fría y se lavan, luego se escurren y en cada hoja se va poniendo una cucharada de masa, se extiende en la hoja y al centro se le ponen pasitas, piñones y unos pedacitos de acitrón, se envuelven y se acomodan paraditos en una vaporera y se cuecen a baño María durante media hora; se conoce que están cocidos cuando el tamal se desenvuelve y se desprende de la hoja.

Tamales de elote

- ☐ 20 elotes tiernos desgranados
- ☐ 250 gramos de queso en rebanadas
- ☐ ¼ litro de caldo de verduras
- ☐ Una rama de epazote
- ☐ 4 chiles anchos, desvenados y remojados en agua caliente
- ☐ 170 gramos de manteca vegetal
- ☐ 3 cucharadas de azúcar
- ☐ Un diente de ajo
- ☐ Sal

El elote se muele con 150 gramos de manteca vegetal, se pone a freír y se le agrega poco a poco un litro de caldo, las 3 cucharadas de azúcar y sal al gusto, meneándolo continuamente para que no se pegue, hasta que tome un punto de pasta, se vacía a un molde redondo y en el centro se le pone el mole.

Mole: Se muele el chile con ajo, cebolla, se fríe en el resto de la manteca, agregándole un cuarto de litro de caldo, el queso, epazote y sal al gusto, se deja sazonar hasta que esté bien espeso. Se mete a horno caliente a 350° hasta que esté cocido y seco.

Tamales de maíz, verdes

- ☐ Un kilo de harina de maíz preparada
- ☐ 500 gramos de manteca vegetal
- ☐ Un kilo de queso fresco en rebanadas
- ☐ 2 cucharadas de **Royal**
- ☐ ½ kilo de tomates verdes, pelados y cocidos
- ☐ 3 chiles serranos
- ☐ Un pedazo de cebolla
- ☐ Un diente de ajo
- ☐ Un ramita de hoja de cilantro
- ☐ Hojas de maíz, las necesarias
- ☐ Sal al gusto

Los tomates se muelen con el cilantro, chile, cebolla y el ajo, se fríe en una poca de manteca vegetal, se le agrega un poco del agua en donde se cocieron los tomates, se sazona con la sal y después se le añade el queso y se deja sazonar y espesar, debe quedar bastante seco; se deja enfriar.

La manteca vegetal se bate en la batidora hasta acremarse, luego se le va agregando poco a poco el harina mezclada con el **Royal** y agua, poniéndole el agua que sea necesaria para formar una pasta suave que no debe dejarse de batir un sólo momento. La masa se prueba igual que los tamales de arroz y se envuelven igual en las hojas de maíz, nada más que rellenándolos con el queso en tomate. El cocimiento es exacto que al tamal de elote.

Tamales de mole rojo

Se hacen exactamente igual que los verdes, nada más que el relleno es el siguiente.

Relleno:

- ☐ 4 chiles anchos, desvenados y remojados en agua caliente
- ☐ Un chile pasilla desvenado, remojado en agua caliente
- ☐ 2 chiles mulatos desvenados y remojados en agua caliente
- ☐ Un diente de ajo
- ☐ Un pedazo de cebolla
- ☐ Un pedacito de pan frito en manteca vegetal
- ☐ Un pedacito de tortilla dura, frita en manteca vegetal
- ☐ 2 cucharadas de ajonjolí, frito en manteca vegetal
- ☐ 50 gramos de almendras fritas sin pelar

Se licuan el ajonjolí, cebolla, ajo, almendras, tortillas y pan; ya bien molidos se fríen en manteca. Aparte se muelen los chiles con el resto de los ingredientes y se dejan freír bastante rato, se sazonan con sal y pimienta y se le agrega el queso. Ya todo frito y sazonado se retira del fuego y se deja enfriar para rellenar los tamales.

Tamales de nuez

- [ ] 750 gramos de harina preparada para tamales
- [ ] Una cucharada de polvo para hornear
- [ ] 300 gramos de manteca vegetal
- [ ] 350 gramos de azúcar
- [ ] 2 paquetes de hojas secas de maíz
- [ ] 250 gramos de nuez picada
- [ ] 250 gramos de mantequilla
- [ ] ½ cucharadita de anís
- [ ] ¼ litro de caldo de verduras

Se bate la manteca vegetal con la mantequilla hasta acremarse, luego se le agrega la harina revuelta con el polvo para hornear y el azúcar, se le va poniendo poco a poco el caldo y el anís, batiéndose hasta que esponje; se prueba que ya está lista la masa cuando en un vaso con agua fría se pone una poquita de masa y ésta sube rápidamente a la superficie, entonces es que ya está bien batida; por último se le revuelve la nuez ya sin batir sólo para incorporar.

Las hojas se lavan en agua y se dejan remojar como unos 40 minutos para que estén suaves. Se toman de una en una y se les pone una cucharada de masa en medio, se envuelve el tamal, se van acomodando en una vaporera, cuando ya se terminó con todos los tamales, se tapan y se ponen a cocer a fuego vivo durante tres cuartos de hora, teniendo cuidado de que no se les acabe el agua. Se conoce que ya están cocidos cuando el tamal se desprende de la hoja sin quedar nada untado.

Tostadas de queso

- ☐ 12 tortillas
- ☐ 250 gramos de queso fresco rallado
- ☐ 2 cucharadas de cebolla finamente picada
- ☐ Una lechuga finamente picada
- ☐ Chiles jalapeños en rajas al gusto
- ☐ Crema fresca al gusto
- ☐ Sal, la necesaria

Se fríen las tortillas en abundante aceite, y ya que están doradas se escurren, se dejan enfriar; al momento de servirse se toma una tostada, se le pone bastante lechuga, enseguida queso, crema, las rajas y sal. Se come al momento de servirse para que no se remojen.

Flautas con guacamole

- ☐ 12 tortillas de maíz
- ☐ Una taza de lechuga finamente picada
- ☐ Una cucharada de cebolla finamente picada
- ☐ 2 aguacates grandes, pelados y prensados
- ☐ Un jitomate partido en rodajas
- ☐ Una cebolla partida en rodajas
- ☐ Un ramo de cilantro picado
- ☐ Queso fresco, el necesario, en rodajas

- ☐ Aceite para freír
- ☐ Sal al gusto

Las tortillas se rellenan con el queso, se enrollan y se prenden con un palillo para que no se safen. El aguacate se pela y se le pone unas gotitas de limón para que no se haga obscuro; se mezcla con el cilantro, cebolla y sal, se revuelve bien todo.

Ya al momento de servirse se fríen los tacos en bastante aceite y se doran al gusto, se escurren bien para que no lleven mucha grasa, se sirven sobre una cama de lechuga y encima se les pone el aguacate preparado y las rodajas de jitomate y cebolla. Se le puede agregar unos copitos de crema fresca. Se sirven muy calientitos y recién preparados.

Torta Moctezuma

- ☐ 12 tortillas de maíz chicas, fritas
- ☐ 500 gramos de queso fresco rallado
- ☐ 250 gramos de crema fresca
- ☐ 100 gramos de chícharos cocidos
- ☐ 4 zanahorias peladas y cortadas en cuadritos
- ☐ 4 papas cocidas, peladas
  y cortadas en cuadritos
- ☐ 2 elotes tiernos desgranados
- ☐ 4 chiles poblanos en rajas
- ☐ 4 calabacitas tiernas cortadas en cuadritos
- ☐ 2 cucharadas de mantequilla
- ☐ 2 tasas de puré de jitomate
- ☐ Sal y pimienta, la necesaria

Se ponen juntas todas las verduras a cocer, menos las papas y rajas; cuando esté cocido se escurre. Las tortillas se pasan por el aceite nada más a que doren un poco

En un refractario untado con mantequilla se acomoda una cama de tortillas, encima se espolvorea con las verduras, las rajas, queso, crema y bastante jitomate, después tortillas y se termina con verduras, queso, rajas, crema y encima se le ponen unos trocitos de mantequilla y se mete a horno caliente 300° para que se dore un poco.

Postres

Postres

Pan de maíz

☐ 2 tazas de harina de maíz cernida
☐ Una taza de harina de trigo cernida
☐ 2 ½ tazas de leche
☐ ¾ taza de azúcar granulada cernida
☐ ½ taza de mantequilla
☐ 2 ½ cucharaditas de polvo para hornear
☐ 3 huevos

La mantequilla se bate a acremarse, enseguida se le agrega el azúcar poco a poco sin dejar de batir, después las yemas de una a una sin dejar de batir, se ciernen las dos harinas con el polvo para hornear y se van agregando a la mantequilla alternando con la leche. Ya todo bien incorporado se agregan las claras batidas a punto de turrón; no se bate, únicamente se incorpora. Se vacía en un molde engrasado y enharinado y se mete a horno caliente a 350° de 30 a 40 minutos, cocido y caliente se vacía a un platón, se adorna con azúcar glass encima.

Pan de pasas

☐ 2 ½ tazas de harina, cernida tres veces
☐ 1 ¼ tazas de azúcar cernida
☐ ¼ taza de mantequilla
☐ Una cucharadita de extracto de vainilla
☐ 2 cucharaditas de polvo para hornear
☐ Un puño de pasitas sin semilla
☐ 8 yemas de huevo
☐ 8 claras

☐ 2 huevos enteros

En una vasija se ponen las yemas, el azúcar y los huevos enteros, se baten hasta que esponjen y empiecen a espesar. Aparte se baten las claras a punto de turrón y se añaden a las yemas sin dejar de batir; ya que está muy esponjado se le agrega la harina previamente cernida con el polvo para hornear; con ésta última ya no se bate, sólo se incorpora, luego se añade la mantequilla derretida y fría.

Se engrasa y enharina un molde, se le vacía una parte de la mezcla y se cubre con las pasitas y el resto encima de las pasitas hasta terminar con pasitas, se mete a horno con calor mediano (300°) y se deja cocinar unos 40 minutos.

Pastel de calabazas de Castilla

☐ 1 ½ taza de calabaza de Castilla amarilla
☐ 2 ¼ taza de harina de trigo cernida tres veces
☐ ½ taza de mantequilla
☐ ½ taza de azúcar granulada cernida
☐ Una taza de azúcar mascabada
☐ ½ taza de nueces picadas
☐ ½ cucharadita de sal
☐ 3 cucharaditas de polvo para hornear
☐ ½ cucharadita de bicarbonato
☐ 1 ½ cucharadita de canela en polvo
☐ ½ cucharadita de nuez moscada
☐ 2 yemas de huevo crudo
☐ Un huevo crudo entero

Se pela la calabaza, se parte en trozos y se pone a cocer en poca agua, cuando está cocida se escurre si tiene mucha agua, se muele en la licuadora, se cuela y que quede una pasta tersa. El harina se cierne con el polvo para hornear, sal, la nuez moscada, bicarbonato y la canela, por tres veces.

Se bate la mantequilla hasta acremarse, se le agregan las dos azúcares, sin dejar de batir, enseguida el huevo entero y las yemas de una en una, después la harina alternándola con la calabaza que debe estar fría, por último las nueces y nada más se incorporan. Se vacía a un molde engrasado y enharinado y se mete al horno que estará caliente a 350° de 30 a 40 minutos.

Pastel de calabacitas tiernas

- ☐ ½ kilo de calabacitas tiernas cocidas
- ☐ 1 ½ taza de harina de arroz
- ☐ 1 taza de mantequilla
- ☐ ½ taza de queso Chihuahua rallado
- ☐ 1 taza de azúcar cernida
- ☐ 2 cucharaditas de polvo para hornear
- ☐ 2 cucharadas de leche, si es necesario
- ☐ 3 yemas de huevo
- ☐ 3 claras batidas a punto de turrón

Se muelen en la licuadora las calabacitas. La mantequilla se bate hasta acremarse, enseguida se le agrega el azúcar, sin dejar de batir después las yemas de una a una, enseguida el queso y por último las claras; si está muy espesa la pasta se le agrega la leche, se vacía en un molde previamente engrasado y enharinado, se mete a horno caliente 350° y se deja de 30 a 35 minutos.

Borrachitos

- ☐ ½ litro de leche, hirviendo
- ☐ 4 bolillos
- ☐ Una cucharada de polvo para hornear
- ☐ 6 yemas
- ☐ 4 claras de huevos batidos a punto de turrón
- ☐ Un huevo entero
- ☐ 100 gramos de mantequilla
- ☐ 4 cucharadas extras de azúcar
- ☐ La ralladura de un limón
- ☐ Azúcar, la necesaria

Los bolillos se parten en pedazos y se ponen en la leche hirviendo, pero fuera de la lumbre, se dejan remojar media hora pasado este tiempo y ya la leche fría se licúan y se vacían en un platón, se les agrega el polvo para hornear la mantequilla diluida, se endulzan con el azúcar al gusto, se les pone la ralladura y las yemas una a una, batiendo fuertemente para que todo se incorpore muy bien, se le agregan después los huevos enteros previamente batidos, y las claras batidas, se mezcla todo y se vierte en moldecitos individuales.

Los moldecitos se bañan con las 4 cucharadas de azúcar caliente ésta se pone a calentar en una sartén sin agua y cuando está de color dorado se van vaciando poco a poco a los moldecitos encima del caramelo; se rellena un poco más de la mitad cada molde y se ponen a cocer en el horno a baño María hasta que se cuezan.

Buñuelos

- ☐ Un kilo de harina cernida
- ☐ 3 huevos
- ☐ 6 cáscaras de tomate verde
- ☐ Una cucharadita de polvo para hornear
- ☐ Una cucharada de manteca vegetal
- ☐ Un poco de anís

Se hierven las cáscaras de tomate con el anís en una poca de agua; ya que hirvió bastante se cuela el agua

Se pone el harina en una tabla de amasar y se le hace una fuente en medio, así se ponen todos los ingredientes, menos el agua que se le irá poniendo poco a poco, según se necesite para incorporar toda la harina; luego se amasa y golpea la pasta que haga vejigas y se desprenda de la tabla. Se tapa la masa y se deja reposar una hora antes de hacer los buñuelos. Se hacen bolitas chiquitas y se estiran con la mano encima hasta que queden delgaditos, se fríen en aceite bien caliente hasta que se doren, se escurren y se dejan enfriar y se bañan con azúcar revuelta con canela en polvo.

Churros

- ☐ Un kilo de harina de trigo
- ☐ 12 huevos
- ☐ 250 gramos de manteca vegetal
- ☐ Un litro de agua
- ☐ Una cucharadita de sal
- ☐ Aceite para freír, el necesario

☐   Azúcar para espolvorear

Se pone a hervir el agua con la sal y la manteca, y cuando empieza a hervir, se le agrega poco a poco la harina, moviendo constantemente para que se incorpore y no se formen grumos. Se deja hervir 5 minutos, luego se retira del fuego, sin dejar de mover y se añaden los huevos de uno en uno previamente batidos. Debe quedar espeso. Se pone en la lumbre una sartén y cuando esté bien caliente el aceite se le pone la pasta pasada por la jeringa de los churros y se fríen. Ya doraditos se escurren del aceite y se espolvorean con el azúcar.

Empanadas de manzana

☐   50 gramos de mantequilla
☐   50 gramos de azúcar
☐   2 huevos
☐   200 gramos harina de trigo
☐   100 gramos de nueces finamente picadas
☐   4 manzanas grandes peladas y picadas
☐   200 gramos de azúcar
☐   Una raja de canela
☐   Canela en polvo, la necesaria
☐   Azúcar glass, la necesaria
☐   Un poco de leche para incorporar

Se pone en una cacerola la harina, la mantequilla diluida, el azúcar y los huevos, se bate todo vigorosamente para que se incorpore y se le va agregando la leche hasta formar un atole bastante espeso. En una sartén se le unta un poco de mantequilla y ahí se le pone una o dos cucharadas del atole; se extienden rápidamente moviendo la sartén y ya que está cocida la tortilla·de ese lado se voltea para que se cueza del otro.

Las manzanas se ponen a cocer con la raja de canela, una poca de agua y los 200 gramos de azúcar, se deja hervir a fuego vivo, procurando que no se deshagan las manzanas y ya que están cocidas y sin jugo, se retiran del fuego y se dejan enfriar; se le agregan las nueces, la canela, se revuelve con cuidado y se rellenan las tortillitas calientes, se revuelven con el azúcar glass revuelto con canela.

Galletas de avena

- ☐ ½ taza de azúcar
- ☐ Una taza de mantequilla
- ☐ Una cucharadita de vainilla
- ☐ Un huevo
- ☐ 3 tazas de harina cernida
- ☐ ½ cucharadita de polvo para hornear
- ☐ ½ cucharadita de sal
- ☐ Una taza de avena cruda

Se bate la mantequilla a acremar, se le agrega el huevo ligeramente batido, después la harina cernida con sal y el polvo para hornear, luego el azúcar y la avena. Se incorpora todo bien con la espátula. Se engrasa una charola de horno, se acomodan las galletas formando con las manos enharinadas la forma de galleta que se desee. Se meten a horno caliente (350°) y se dejan unos 10 ó 15 minutos para que se cuezan y doren un poco.

Galletas de chocolate

- ☐ ¾ taza de azúcar
- ☐ ½ taza de chocolate amargo
- ☐ 2 huevos
- ☐ 3 cucharadas de mantequilla
- ☐ Una cucharadita de polvo para hornear
- ☐ Una cucharadita de vainilla
- ☐ ½ taza de coco rallado
- ☐ Una taza de harina de trigo
- ☐ ¼ taza de leche

En una vasija se ponen los ingredientes secos cernidos tres veces, luego se les agrega el chocolate derretido a baño María, los huevos batidos y la vainilla, se revuelven con la leche y se hace una pasta tersa y suave, si le falta una poca de leche para incorporar se le puede añadir. Se extiende la pasta en una tabla enharinada, se cortan las galletas en forma al gusto, se espolvorean con el coco rallado y se meten a horno a 350°

Magdalenas

- ☐ 250 gramos de mantequilla
- ☐ 250 gramos de azúcar
- ☐ 150 gramos de fécula de maíz
- ☐ 150 gramos de harina
- ☐ 8 huevos
- ☐ Una cucharada de ralladura de naranja
- ☐ Una cucharadita de polvo para hornear
- ☐ Un puñito de pasitas

Se bate la mantequilla hasta acremarse, luego se le va agregando el azúcar sin dejar de batir, después los huevos de uno en uno, enseguida la ralladura y luego la harina cernida con el polvo para hornear, se envuelve y finalmente se añaden las pasitas. Se toman moldecitos en forma de conchitas, se engrasan, enharinan y se rellenan con la pasta, procurando no llenarlos; se meten a horno caliente a 350°.

Merengues

- ☐ 350 gramos de azúcar
- ☐ ½ cucharadita de vainilla
- ☐ 6 claras de huevo fresco

Se baten las claras a punto de turrón, luego se le agrega la vainilla y el azúcar de poco en poco sin dejar de batir. Se van poniendo cucharadas de merengue en charolas enharinadas se ponen bastante separadas una de la otra porque se esponjan mucho, se meten a horno muy templado, pero antes se calienta y se pone en lo más bajo al meter la charola; se dejan cocinar por lo menos media hora, se sacan del horno una vez cocidos y se dejan enfriar, luego se oprimen un poco por la parte de adentro y se rellenan con helado de vainilla, cubriéndolos con la otra mitad de merengue.

Panquecitos de maíz

- ☐ Una taza de harina de trigo
- ☐ Una taza de harina de maíz

- ☐ Una cucharadita de sal
- ☐ 4 cucharaditas de polvo para hornear
- ☐ 2 huevos
- ☐ ¼ taza de miel de abeja
- ☐ Una taza de leche
- ☐ ¼ taza de mantequilla

Se pone en un tazón la harina de maíz y trigo con el polvo de hornear, se le agregan todos los demás ingredientes y la mantequilla diluida y fría, se revuelve todo batiendo vigorosamente y se vacía en un molde rectangular previamente engrasado y enharinado, se mete a horno caliente a 350° hasta que esté cocido.

Capirotada

- ☐ 4 bolillos fríos rebanados
- ☐ Una taza de queso Chihuahua, rallado
- ☐ Una taza de piloncillo
- ☐ ½ taza de pasitas
- ☐ Una taza de mantequilla
- ☐ Una raja de canela
- ☐ Mantequilla para freír

El pan se dora en la mantequilla. Se pone el piloncillo a hervir en una poca de agua hasta que quede una miel espesa, se le agrega la canela y se deja hervir unos minutos más. En un refractario previamente engrasado con bastante mantequilla se colocan las rebanadas de pan, se espolvorean con el queso rallado y se cubren con la miel, se le ponen trocitos de mantequilla, se mete a horno caliente (350°) y cuando empiece a dorarse se saca del horno. Se puede servir fría o caliente.

Chongos zamoranos con yemas

- ☐ Un litro de leche cruda
- ☐ 3 yemas de huevo
- ☐ Una pastilla de cuajar
- ☐ ¾ taza de azúcar
- ☐ Una rajita de canela

Las yemas se baten hasta que esponjen y se incorporan a la leche, que deberá estar cruda. La pastilla de cuajar deberá estar disuelta en un poco de leche. Ya todo bien incorporado se acerca al fuego a que reciba un poco de calor, debe ponerse en un cazo bastante extendido. Ya que la leche se corte y empiece a salirle bastante suero, se toma un cuchillo y se parten unos cuadritos, no muy grandes dentro de la misma cacerola, colocada sobre fuego muy lento; en cada cuadrito se le acomoda una rajita de canela y se deja hervir un buen rato.

Ya que la leche se empiece a endurecer se le pone el azúcar poco a poco y espolvoreándola, se deja hervir hasta que los cuadros estén bien duros y el suero bastante consumido; si se desea se le puede añadir un poco más de azúcar.

Dulce de cajeta

- ☐ 2 tazas de azúcar
- ☐ 2 litros de leche sin hervir
- ☐ ¼ cucharadita de bicarbonato

Se vacía el azúcar en un cazo, se pone al fuego y se deja dorar casi hasta que quede café; enseguida se le agrega la leche fría y el bicarbonato, se mueve todo muy bien y se deja hervir a fuego lento, moviendo constantemente hasta que espese y vea el fondo del caso, se retira del fuego y se deja enfriar. Casi se reduce a la mitad.

Dulce de camote con coco

- ☐ Un kilo de camote blanco cocido y pelado
- ☐ Un coco fresco, rallado
- ☐ 2 tazas de azúcar
- ☐ ½ taza de almendra pelada
- ☐ ½ taza de pasita
- ☐ ½ taza de leche
- ☐ Una rajita de canela
- ☐ Una cascara de limón verde
- ☐ 3 yemas de huevo
- ☐ 2 cucharadas de azúcar glass para adornar

Los camotes se muelen a que quede una pasta. En una cacerola se pone el azúcar con una media taza de leche fría, la cáscara de limón verde y la raja de canela, se deja hervir a fuego vivo y cuando se ha convertido en almíbar se le agregan el camote y el coco. Se revuelve muy bien todo, se deja hervir a fuego vivo y se retira del fuego cuando se vea el fondo; se sigue moviendo para que se enfríe un poco y se le añaden las yemas batidas, se incorporan poco a poco y sin dejar de batir para que se incorporen y se cuezan, luego se le agregan las pasitas y se retira del fuego moviendo hasta que esté bastante frío, se vacía en un platón y se adorna con las almendras; ya bien frío se espolvorea con el azúcar.

Jericalla

- ☐ 2 ½ tazas de leche fresca
- ☐ 4 huevos
- ☐ Una cucharadita de vainilla
- ☐ Azúcar al gusto

Los huevos se baten con la leche y la vainilla, se endulza al gusto y se vacía en un molde refractario, se mete a horno caliente a 350° y se deja hasta que cuaje y se dore un poco, se saca del horno, se deja enfriar y se sirve en el mismo molde.

Gelatina de leche

- ☐ 1 ¼ taza de leche
- ☐ Una taza de leche evaporada
- ☐ ½ taza de azúcar
- ☐ 2 tazas de crema Chantilly
- ☐ Una cucharada de gelatina en polvo sin sabor
- ☐ Una cucharada de vainilla
- ☐ 2 yemas de huevo

☐   2 claras de huevo batidas a punto de turrón
☐   Una puntita de sal

Las yemas se baten muy bien y ya que están esponja-das se les agrega la leche poco a poco sin dejar de batir, ya todo bien incorporado se le agrega la mitad de la azú-car y se pone a baño María, se agita constantemente y se deja hasta que espese un poco, unos 10 minutos, luego sin retirarlo del fuego se le agrega la gelatina disuelta en una poquita de leche hirviendo y se incorpora todo y se retira del fuego.

A las claras batidas a punto de turrón se le agrega la otra mitad del azúcar, a la mezcla de la leche con huevo se le añade la vainilla y la leche evaporada, se revuelve todo y se cuela sobre las claras, sin dejar de batir unos 10 minutos más. Se vacía en un molde y se mete al refrige-rador, al día siguiente se desmolda sumergiendo el mol-de en agua hirviendo y volteándola rápidamente. Se adorna con la crema Chantilly.

Mermelada de calabaza de Castilla

☐   Una calabaza mediana de Castilla pelada
☐   2 limones (jugo)
☐   Azúcar al gusto

La calabaza se pela en crudo y se le quitan las semi-llas, después se corta en pedazos pequeños y se pone a cocer en muy poca agua, se le agrega el azúcar y se deja hervir a fuego lento hasta que esté cocida. Después se muele en la licuadora y se pasa por un colador, se vuelve a poner a fuego muy lento y se le añade el limón; ya con el jugo de limón no debe hervir.

Helado de elote

- ☐ 2 elotes tiernos, desgranados y cocidos
- ☐ 1 ¾ taza de azúcar
- ☐ 3 tazas de leche evaporada
- ☐ 2 tazas de crema
- ☐ 6 yemas de huevo
- ☐ ½ cucharada de polvo de canela

Se licúan los granos de elote y se pasan por un colador, la leche se pone a hervir a baño María con la canela, el azúcar y las yemas, previamente batidas, cuando suelte el hervor se le añaden los elotes y se retira del fuego, se pasa nuevamente por un colador muy fino, se le añade la leche y se pone en la nevera o en las charolas del refrigerador; si se pone en las charolas se tiene cuidado de moverlo cada 10 minutos con una espátula de madera para que no se endurezca.

Nieve de limón

- ☐ 4 ½ tazas de agua
- ☐ 1 ½ taza de azúcar
- ☐ ¼ cucharadita de ralladura de limón verde
- ☐ 4 claras de huevo batidas a punto de turrón

Se mezcla el agua con el azúcar hasta que se disuelva, luego se le agregan el jugo y la ralladura de limón y por último las claras, se vacía en una charola y se mete al congelador para que cuaje, se bate varias veces para que no se endurezca mucho.

TÍTULOS DE
ESTA COLECCIÓN

Impreso en Offset Libra

Francisco I. Madero 31

Sàn Miguel Iztacalco,

México, D.F.